BAIXO AUGUSTA

Baixo Augusta
A cidade é nossa

Alê Youssef

LETRAMENTO

Copyright © 2019 by Editora Letramento
Copyright © 2019 by Alê Youssef

Diretor Editorial | **Gustavo Abreu**
Diretor Administrativo | **Júnior Gaudereto**
Diretor Financeiro | **Cláudio Macedo**
Logística | **Vinícius Santiago**
Assistente Editorial | **Laura Brand**
Preparação e Revisão | **Lorena Camilo**
Projeto Gráfico e Diagramação | **Luís Otávio**
Foto da 1ª Capa | **Davi Pacheco**
Foto da 4ª Capa | **Frâncio de Holanda**
Tipografia da Capa | **Rita Wainer**
Verso da Capa – Artes do Cartazes Studio SP | **Julia Miranda**
Fotos do Miolo | **Frâncio de Holanda**

Todos os direitos reservados.
Não é permitida a reprodução desta obra sem
aprovação do Grupo Editorial Letramento.

Dados Internacionais de Catalogação na Publicação (CIP) de acordo com ISBD

Y83b	Youssef, Alê
	Baixo Augusta: a cidade é nossa / Alê Youssef. - Belo Horizonte : Letramento, 2019.
	144 p. : il. ; 15,5cm x 22,5m.
	ISBN: 978-85-9530-184-9
	1. Literatura brasileira. 2. Rua Augusta. 3. Baixo Augusta. 4. São Paulo (Cidade). I. Título.
2019-48	CDD 869.8992 CDU 821.134.3(81)

Elaborado por Vagner Rodolfo da Silva - CRB-8/9410

Índice para catálogo sistemático:
1. Literatura brasileira 869.8992
2. Literatura brasileira 821.134.3(81)

Belo Horizonte - MG
Rua Magnólia, 1086
Bairro Caiçara
CEP 30770-020
Fone 31 3327-5771
contato@editoraletramento.com.br
grupoeditorialletramento.com
casadodireito.com

Grupo
Editorial
LETRAMENTO

Para Julia.
E para todos, de hoje e de sempre, que
sentem o prazer consumado quando descem
da Paulista até a Martinho Prado.

AGRADECIMENTOS

Ao Grupo Editorial Letramento e ao editor Gustavo Abreu pela oportunidade de publicação desse livro. À ex prefeita Marta Suplicy que me escalou para trabalhar pela juventude de São Paulo, e me aproximou dos ambientes alternativos e de personagens fundamentais da minha cidade. Aos meus sócios Maurizio Longobardi e Guga Stroeter, por embarcarem no projeto do Studio SP. Ao Daniel Ganjaman e ao Tatá Aeroplano, parceiros de primeira hora do Studio SP e que articularam tão bem as cenas musicais da cidade daquela época. Ao Facundo Guerra pelos papos sobre nosso bairro e por seu espírito empreendedor contagiante. Ao Marcelo Tas pela gentileza do lindo prefácio, à Rita Wainer pela tipologia da capa, ao Davi Pacheco pela foto da capa e à Julia Miranda pelas artes dos cartazes do Studio SP. Ao Felipe Melo Pissardo, que com sua dissertação de mestrado me conduziu pela história da Rua Augusta. À Leandra Leal pelo estímulo para eu levar adiante esse projeto. Aos meus queridos amigos e amigas, fundadores do Acadêmicos do Baixo Augusta, pela aventura. Aos irmãos da vida que esse bloco me deu: Doutora Mara Natacci, Luciano Calçolari, Verro Campos, Frâncio de Holanda – cujas fotos ilustram esse livro e, Alê Natacci, que sempre deu concretude aos meus devaneios culturais e ativistas. Ao Marcelo Rubens Paiva pelo exemplo e inspiração. À Andreia Sadi por me fazer tão bem e me dar o apoio decisivo para essa publicação. Aos meus pais Michel e Jandyra e irmãs Fernanda Youssef e Roberta Youssef – que foi parceira em grande parte dessa jornada. E à minha filha Julia, que com seu amor me enche de energia e garra para lutar por meus sonhos.

SUMÁRIO

17	PREFÁCIO por Marcelo Tas
23	É PROIBIDO PROIBIR
33	MEU QUINTAL
41	120 POR HORA
49	NEON
55	SAMBA ROCK
65	QUARTEL GENERAL
77	PLATAFORMA DE LANÇAMENTOS
97	A CIDADE É NOSSA
115	OASIS RADICAL
123	REFERÊNCIAS
127	FOTOS Acadêmicos do Baixo Augusta por Frâncio de Holanda

PREFÁCIO
por Marcelo Tas

Em 2017, no dia do aniversário de São Paulo, um amigo carioca do tipo engraçadão publicou um post no Instagram cutucando a velha rivalidade. A foto era de um pôr do sol no Rio de Janeiro com a legenda marota: Feliz aniversário, São Paulo!

A provocação micou. Rendeu zero polêmica e tímidas curtidas. A imagem linda da praia de Ipanema emoldurada pelo perfil inconfundível do morro Dois Irmãos me trouxe um insight. Nela não havia um só pedacinho que fosse resultado de mãos humanas. Era tudo obra de papai do céu.

Em São Paulo, isso não acontece. Qualquer imagem que traduza a graça de aqui viver terá sempre a mão dos moradores da cidade. Bom lembrar que a maioria das mãos que fazem essa cidade ser o que é, é de gente que não nasceu aqui, forasteiros que se juntaram aos nativos na loucura de reinventar a megalópole sem trégua. O insight atualizou meu amor por São Paulo como se #AmoSP fosse um aplicativo de celular.

Meu coração bate por São Paulo justamente porque a menina gigante e sapeca nunca está satisfeita com o que é. Pede mudança contínua, em ritmo frenético de pulso que pulsa por invenção de praias que papai do céu não nos deu. Dentre os espaços públicos cavados na arte e na marra, no fervo e na luta, há uma "praia" que traduz como poucas o DNA da cidade: o Baixo Augusta, trecho final que conecta a longa e histórica artéria ao coração antigo da cidade.

Augusta, a rua com nome de mulher, poderia facilmente ser a musa inspiradora de Metamorfose Ambulante, obra prima de Raul Seixas. Não por acaso, o lendário Edifício Aliança, última morada do roqueiro master do Brasil, fica na área. Há quem garanta que, em noites de luar, Raulzito ainda pode ser visto perambulando entre a ruas Frei Caneca e Augusta. Eu não duvido.

As décadas mutantes da rua Augusta, da boemia-prostituição-neon ao mix comércio-de-rua-carrões-importados com o reduto democrático-underground-carnavalesco atual, passando pelo rock'n'roll-milkshake-motorsport da Jovem Guarda, são um desafio robusto para qualquer historiador. Alê Youssef resolveu encarar a tarefa com a coragem de quem sabe a importância e urgência do registro da transformação cultural crucial para entender a cidade mutante contemporânea. Vetor ativo da mudança, em 2008, Alê deslocou seu Studio SP da Vila Madalena para a Augusta e disparou na corrente sanguínea da cidade uma enzima que facilitou a reação química em cadeia que já se desenhava desde sempre.

"Baixo Augusta, a cidade é nossa", o nome do livro, traduz com felicidade o espírito da coisa. A luta pelo direito à cidade é o combustível que garante o movimento da engrenagem de criação e manutenção das manifestações culturais e os espaços públicos, as "praias", do pedaço. Mesmo conquistas já consagradas, como a cena teatral da Praça Roosevelt, não podem deixar baixar a imunidade da agitação, para não virar presas frágeis da gula imobiliária ou eventual caretice do prefeito da vez. Na luta ecumênica pelo Parque Augusta, tive a honra e alegria de reencontrar velhos colegas de fervuras misturados com novas caras das artes e do ativismo como os escritores Marcelo Paiva e Antonio Prata; os parlapatões Hugo Possolo e Raul Barretto, os músicos Edgar Scandurra, Taciana Barros e André Abujamra; entre tantos outros.

Por um capricho do destino, a área preciosa, com direito a bosque de Mata Atlântica intocada, onde está prometido e negociado na luta o Parque Augusta para 2020 (estamos de olho), coincide com duas células de um pré-Baixo-Augusta onde tive a minha iniciação profissional e boêmia nos anos 80.

O Projeto SP era uma gigantesca tenda-circo armada no terreno vazio desde aquela época. Precursor dos grandes shows urbanos, o palco acolhia a diversidade, do Rock BR ao Clube da Esquina, além de DJs e instrumentistas gringos. Numa noite inesquecível, o sensacional mineiro Beto Guedes travou de emoção diante de 3 mil pessoas que o aguardavam. Passou a maior parte do show cantando de costas, tentando esconder sua timidez entre as gigantescas caixas de som no palco.

Do outro lado da rua, o Spazio Pirandello era uma espécie de festa-permanente-restaurante-galeria-de-arte-aparelho-político-boêmio. Eram tempos de turbulência e transição política. Da ditadura agonizante, ainda sem eleições livres, hiperinflação galopante sob as rédeas toscas do general Figueiredo, para uma democracia desejada ainda difusa no horizonte.

Os fundadores do Pirandello, um ator e um jornalista, Antonio Maschio e Wladimir Soares, funcionavam como mestres sem cerimônia do casarão vermelho-goiaba. Recebiam figurinhas carimbadas das artes, negócios e política nacional com o mesmo carinho e irreverência que saudavam novatos desconhecidos como eu. Festeiros de primeira, inventaram um prêmio que se transformou numa balada da classe artística no Palácio das Convenções do Anhembi. Em 1984, para meu espanto, pela cobertura na TV do movimento das Diretas-Já, o personagem Ernesto Varela, interpretado por mim, criado com meu parceiro Fernando Meirelles na Olhar Eletrônico, ganhou o Prêmio Pirandello na categoria Jornalismo. Que ousadia e generosidade dos frequentadores do QG da boemia descolada paulistana.

Curiosamente, mas certamente não por acaso, hoje, quando o Baixo Augusta renova o vetor da aceleração cultural, vivemoos nova turbulência e transição política. É importante notar uma diferença fundamental entre os tempos. Desde meados do século passado, vanguardas culturais já frequentavam a região. Só que atuavam como células isoladas: as casas de Bossa Nova, os boys and girls da Jovem Guarda passeando de carrão, o pessoal do teatro jantando no Gigetto, além da boemia atraída pelos neons dançantes, transformistas e profissionais do sexo.

Na era da aceleração digital, o Baixo Augusta tem vocação para virar hub que conecta as tribos existentes e as que ainda certamente surgirão no pedaço, uma plataforma provedora de três qualidades fundamentais da nova era: inovação, colaboração e diversidade. A linda e gigante empena criada pela artísta Rita Wainer em edifício da região traduz com graça e clareza o mantra que nos ensina que cidade é nossa! Que assim seja.

É PROIBIDO PROIBIR

São Paulo sempre foi palco de uma espécie de guerra fria entre aqueles que sonham com uma cidade mais humana, colorida, arborizada, com espaços públicos abertos e ocupados pelas pessoas, e os mais ordeiros ou conservadores que buscam apenas o ideal econômico de "fazer suas vidas na cidade" e por isso a preferem tal qual ela foi desenhada em seu estereótipo maior: objetiva, veloz, voltada para os carros, os negócios, desenvolvimentista, sem os incômodos naturais de aglomerações e expressões mais lúdicas e culturais, da maneira que se notabilizou na música símbolo de Caetano Veloso que destaca a cidade sob constante influência da grana que ergue e destrói coisas belas.

Desde a explosão modernista radical da Semana de Arte de 1922, ou de Adorinan cantando a cultura dos cortiços de descendentes italianos do Bráz, ou dos Novos Baianos passeando pela garoa e construindo o tropicalismo com os Mutantes da Vila Mariana, ou de Itamar Assumpção desafiando os padrões e definindo a vanguarda paulistana, passando pelos palcos roqueiros e escuros da geração dos anos 80 e pela época em que o coletivo *Tupinãodá* dava cor a cidade com o grafite, assistimos em São Paulo avanços e retrocessos nessa disputa que muitas vezes reflete a guerra política entre ademaristas, malufistas, janistas, petistas, tucanos que sempre pautou nossa cidade. A Praça da Paz do Parque Ibiraquera já recebeu Tom Jobim, Roberto Carlos, Marisa Monte, Ray Charles e, de repente, não podia mais ser palco de inesquecíveis shows. A Praça Charles Muller, naquele vale espetacular no Pacaembú que agora fica vazia a maior parte do ano, já sediou o festival de hip hop Agosto Negro e um show dos Racionais MC's, a Semana Jovem e a verve de Marcelo D2, o projeto Rock Cidadania com Paralamas do Sucesso, campeonatos e apresentações de skate e tantos outros momentos culturais e esportivos. O *lobby* do político em busca de votos e de alguns promotores do Ministério Público em busca de notoriedade, calibra a força das Associações de Moradores de bairros ricos, que bloqueiam a ocupação desses e de outros espaços centrais e emblemáticos da cidade.

Essa luta pelo imaginário sobre São Paulo se confunde com a história do Baixo Augusta, pedaço urbano que constitui uma espécie de dobra da cidade que mesmo em meio à loucura gananciosa da megalópole do grande capital dos *shopping centers*, das incorporadoras e seus super empreendimentos, garantem a manutenção da permanente chama vanguardista paulistana que teima em arder mesmo com as adversidades naturais de quem se acostumou ou preferiu viver em busca das novidades, nos ambientes menos óbvios ou pautados por uma cultura mais autoral e transgressora.

Diante de tanto simbolismo cultural do bairro, o Baixo Augusta vivenciou vários embates marcantes desse contexto da cidade ao longo de 2017, um ano bastante conturbado, onde pudemos assistir no Brasil o crescimento avassalador de um neoconservadorismo, que associado ao neoliberalismo radical, gerou políticos capazes de serem a favor do livre mercado e ao mesmo tempo pedirem o cancelamento de exposições de arte, ou bradarem pela importância da educação e proibirem um festival de teatro em Praça Pública. O ex-prefeito e atual governador de São Paulo, João Doria, talvez por cálculo político, direcionou suas ações a esse ambiente oposto dos valores libertários descritos aqui e que são marcantes no nosso bairro.

No Baixo Augusta duas questões provocaram o confronto típico da guerra fria entre as visões que disputam a cidade: a proibição do festival de teatro Satyrianas na Praça Roosevelt e a tentativa de transferência do crescente carnaval de rua para a Avenida 23 de Maio, onde seria estabelecido uma espécie de "circuito" com camarotes e abadás, bem ao estilo da parte mais comercial do carnaval de Salvador. A Satyrianas, como veremos mais adiante, pode ser considerada uma espécie de marco inaugural do bairro. Proibi-la de ocupar a Praça que ela mesmo transformou seria ceifar a própria natureza da região. Confinar o carnaval de rua da cidade – protagonizado pelos blocos que lideraram a retomada da ocupação do espaço público e, diante das inúmeras dificuldades que enfrentaram para tanto, desenvolveram uma veia ativista pelo direito à cidade – a uma única avenida e a um modelo exclusivamente mercantilista, seria ferir a essência de todo o processo de luta por uma festa livre, democrática e descentralizada. Ou seja, simbolicamente era inverter o processo de ocupação da cidade que foi desencadeado nos anos anteriores por movimentos da sociedade civil.

Nesse ambiente de ameaça às conquistas, que julgávamos civilizatórias no embate pela cidade, aconteceu uma aproximação de forças culturais para enfrentar a situação. Fizemos algumas reuniões com Ivam Cabral, Rodolfo Vasques da Cia de Teatro Os Satyros e com Hugo Possolo e Raul Barreto da Cia Parlapatões, notadamente as principais figuras do movimento teatral da Praça Roosevelt, e traçamos uma estratégia de resistência. No mesmo período o bloco Acadêmicos do Baixo Augusta refutou a ideia de mudança para a Avenida 23 de Maio e consolidou, em conjunto com outros importantes blocos, o Fórum de Blocos de SP que agregou as principais lideranças do movimento carnavalesco em defesa do modelo de um carnaval livre, democrático e descentralizado pelo qual tanto lutamos ao longo dos anos. Com toda essa mobilização e diante do espírito ativista que os protagonistas do carnaval adotaram, o ex-prefeito Doria, acertadamente, aceitou a manutenção do modelo consagrado nos anos anteriores.

O que se seguiu foi a confirmação da tendência de fortalecimento do carnaval de rua da cidade. Cerca de 10 milhões de foliões nas ruas, mais de 500 blocos de carnaval espalhados em todas as regiões da cidade, gerando R$ 550 milhões para a economia da cidade. O Acadêmicos do Baixo Augusta fez de seu desfile – na rua da Consolação – uma ode contra o conservadorismo e o proibicionismo. Com o tema "É Proibido Proibir", lembrou dos 50 anos do contestador maio de 68, da Batalha da Rua Maria Antônia no centro de São Paulo e dos movimentos de resistência à opressão e da censura ao hino antiditaduta *Pra não dizer que não falei das flores*. Os Satyros e os Parlapatões, como resultado da articulação progressista a que me referi, ocuparam um dos trios elétricos e fizeram uma provocativa performance baseada na obra da filósofa norte-americana Judith Butler, que passou pelo Brasil naquele período e foi hostilizada por manifestantes do ódio e da estupidez crescentes no país. Os Acadêmicos levaram mais de 1 milhão de pessoas para o centro de São Paulo, no maior desfile carnavalesco da história da cidade. Foi uma potente manifestação que terminou de forma apoteótica, com Maria Rita cantando *Como nossos pais*, o clássico de Belchior imortalizado pela voz de sua mãe, Elis Regina, em frente à Praça Roosevelt, onde a cantora iniciou sua carreira em São Paulo. Ao mesmo tempo, fogos de artifício iluminavam e anunciavam a inauguração do grande painel "É Proibido Proibir" do coletivo Os Tupys na fachada do prédio que já abrigava a Casa do Baixo Augusta.

Antes de toda essa polêmica, os fundadores do Acadêmicos do Baixo Augusta já haviam compreendido a vocação ativista do bloco de carnaval que criaram e resolveram desenvolver um projeto que representasse a celebração da diversidade e o pensamento crítico presentes nos desfiles carnavalescos ao logo de todo ano. Foi criada então a Casa do Baixo Augusta, que além desses atributos relacionados ao bloco do carnaval, se tornou um centro cultural muito efervescente, com cursos, palestras, debates, oficinas, shows, rodas de samba, lançamentos de livros e eventos especiais, em torno da mistura do ativismo, da criatividade, da cultura alternativa e do carnaval. A ideia central foi criar uma espécie de Escola Livre para compartilhamento de conhecimento.

Desde o início do seu funcionamento, a Casa do Baixo Augusta se tornou referência para o campo progressista e humanista da política nacional. Um dos melhores exemplos disso está na lista de livros lançados no espaço. Caetano Veloso fez o lançamento da edição comemorativa de vinte anos do seu *Verdade tropical*. O mesmo fez João Antonio Trevisan com o importante *Devassos no paraíso*. A filósofa Djamila Ribeiro também usou a Casa para lançar o seu *best seller*, *O que é lugar de fala?* e outros livros de sua coleção Feminismos Plurais, como *O que é racismo estrutural* de Silvio Almeida. Eu também lancei o meu livro *Novo poder*:

democracia e tecnologia em noite feita em parceria com Marcelo Rubens Paiva que apresentou seu *Orangotango marxista*. Todos esses eventos e tantos outros da órbita literária, sempre contaram com debates valorosos e muitas vezes com esticadas pela noite, regidas por DJs ou bandas.

Outro exemplo marcante da importância do espaço foi o projeto Brasil Visto de Baixo, realizado em parceria com o portal Catraca Livre, que entrevistou ao longo do processo eleitoral os candidatos à Presidência da República. Vários deles passaram pela Casa, que também recebeu outros debates nacionais relevantes.Eventos como o "Pretas no Poder" com Thalma de Freitas, Adriana Barbosa, Nataly Neri e Erica Malunguinho, debateu a participação da mulher negra nos espaços de poder. O "Arte Queer", com Gaudêncio Fidelis, foi um ato de posicionamento contra a censura à arte. O "Primavera das Mulheres" com Antonia Pelegrino, Amara Moira e Isabel Nascimento Silva, refletiu sobre o levante feminino que marcou o ano e apresentou o documentário que registou esse movimento no Brasil.

No evento "Nem todo evangélico é conservador" com os Pastores Ariovaldo, Henrique Vieira e Nilza Valéria, foi discutida a relação dos movimentos evangélicos com conservadorismo político . Em "Não Compre, Plante" – foi debatida a liberação do plantio caseiro da maconha, e o evento "Novas Formas Políticas na América Latina" juntou fundadores de projetos de renovação política. Ronaldo Lemos e Ana Livia Árida debateram "Tecnologia, Política e Cidades Inteligentes", Cristina Tardágula, Fabro Steibel e Thiago Rondon falaram de "Fake News, Fake Bots". Muitas dessas atividades foram feitas em parcerias com outras organizações como, o Instituto Tecnologia e Sociedade (ITS), a SP Escola de Teatro, a Mídia Ninja e outros coletivos.

Paralelamente aos eventos, uma agenda intensa de oficinas e cursos como os de produção cultural e ativismo, dança na cena, *drag queen*, ator produtor, técnicas de burlesco, dinâmica de palco, biomecânica do corpo, improvisação, bateria de rua, *bitcoin*, *blockchain*, prática de criação dramatúrgica, gravação, edição e mixagem de áudio, entre tantas outras que enfatizavam a ideia de compartilhar conteúdo e apostar na formação. A Casa também virou rapidamente sinônimo de agitação cultural. Recebeu shows de nomes que foram marcantes na história do bairro como: Tulipa Ruiz, Otto, Tiê, André Frateschi, Junio Barreto, Mariana Aydar, Vanguart, Del Rey, Diego Moraes, Pélico, Helio Flanders, Tatá Aeroplano, DJ KLajay, DJ Tutu Moraes, além de festas e shows de blocos e manifestações carnavalescas como: Casa Comigo, Explode Coração, Espetacular Charanga do França, Unidos do Swing, Samba da Vela, Cecílias e Buarques, Cerca Frango, Cordão Carnavalesco Confraria do Pasmado, Bloco Esfarrapado, Amigos da Vila Mariana, Cumbia Calaveira, Pardieiro, Vega Venga, Samba do Sol entre tantos outros.

O desafio ao proibicionismo e ao conservadorismo de parte da sociedade, foi representado pelo tema do desfile do Acadêmicos do Baixo Augusta para o carnaval de 2018. Quando o "É Proibido Proibir" foi lançado, a Casa do Baixo Augusta já estava a pleno vapor e foi um epicentro de articulação entre os diversos atores culturais afetados pela onda conservadora, como por exemplo, os teatros da Roosevelt, que na ausência da Praça para realizar as Satyrianas, fizeram as atividades musicais e a abertura do festival dentro da Casa. Os blocos de carnaval da cidade também encontraram guarida ali. A Casa passou a sediar reuniões do Fórum de Blocos de Carnaval de SP, organização horizontal que reúne mais de 200 blocos de carnaval, inclusive os maiores e mais impactantes. Na Casa, foram elaboradas diversas estratégias para manutenção do modelo de carnaval livre, democrático e descentralizado, consagrado em São Paulo.

A relevância da Casa do Baixo Augusta se evidenciou em 2018. A Casa abrigou diversas reuniões de grupos e coletivos da sociedade civil que atuaram nos dias que antecederam a vitória de Jair Bolsonaro. Após o resultado eleitoral, o espaço se posicionou como um centro de defesa da cultura e das liberdades individuais. Como bem frisou o antropólogo Roberto Damatta, "todo ano tem carnaval – e todo ano é o carnaval que, talvez mais do qualquer outra instituição nacional, nos certifica da continuidade do Brasil". Muita coisa pode acontecer entre um carnaval e outro, mas o carnaval no Brasil sempre acontece. Nossa maior festa da cultura popular ocupa no atual contexto, um lugar estratégico de símbolo de identidade nacional e de união.

Para compreendermos esse interessante contexto de protagonismo político de um bloco de carnaval na cidade, o ambiente de mistura do ativismo com o empreendedorismo e a presença marcante da vanguarda cultural, que aponta as novas tendências e demonstra força através da economia criativa, vamos voltar no tempo para analisar a história que juntou elementos e experiências marcantes e gerou esse caldo rico, repleto de contradições e belezas do nosso bairro, o Baixo Augusta.

MEU QUINTAL

Antes de nossa viagem no tempo, acho importante explicar os motivos que me levaram a escrever esse livro. Sempre me incomodei com uma certa ausência de registro dos movimentos culturais e urbanos da cidade de São Paulo. Não são muitos os trabalhos que se dedicam a contar a história das nossas festas populares, dos nossos mais preciosos bairros boêmios, casas noturnas emblemáticas e cenas alternativas que fizeram história e contribuíram para a maior cidade do país se tornar um polo vibrante, criativo e diverso.

A Vila Madalena da minha adolescência, com o circuito que fervia entre a cerveja de boteco do Bar Empanadas, o *hype* do ateliê do artista Zé Carratú, as intervenções provocativas do coletivo de arte urbana Tupinaodá e os rolês ao Beco do Batman – espaço que na época ainda tinha o tal Batman, de Numa Ramos e Jorge Tavares, que deu nome ao beco, grafitado em um dos muros, no melhor estilo da chamada *stencil art* – técnica de grafite muito popular nos anos 80. Naquela época, muito do que rolava de novo na cidade, convergia para os shows do Aeroanta no Largo da Batata – casa histórica que revelou toda uma geração importante do rock nacional e recebia constantemente artistas como o Ira!, Titãs, Paralamas do Sucesso e Legião Urbana; ou para o Lira Paulistana, na praça Benedito Calixto, que reunia a cena musical da chamada vanguarda paulistana de Itamar Assumpção e Arrigo Barnabé. A São Paulo alternativa vibrava em reação aos conservadores anos anteriores da gestão de Jânio Quadros e a Vila Madalena – bairro que era razoavelmente barato para os estudantes e professores da USP viverem – se transformava em um símbolo de resistência e vanguarda, em uma espécie de território livre de uma cidade que sentia a necessidade de se despir da caretice avassaladora da vassourinha moralista do ex-prefeito, para se libertar através da arte e da noite. Com a gestão de Luiza Erundina, muitos dos símbolos daquele território livre foram incorporados à cidade e um dos mais emblemáticos exemplos é a intervenção ultra colorida realizada pelo artista plástico Rui Amaral no túnel conhecido como Buraco da Paulista – ligação entre a Avenida Doutor Arnaldo e a Avenida Paulista. A obra foi tombada pelo patrimônio cultural da cidade por iniciativa da então secretaria de cultura Marilena Chauí, professora de Filosofia da USP.

Sobre aquela época temos de fato poucas reflexões que retratem o ambiente tão importante para nossa efervescência cultural e para a vocação criativa da cidade, e que só se intensificaram ao longo do tempo. Tantas bandas, músicos, artistas plásticos, cineastas, atores, atrizes, escritores, escritoras, dramaturgos e dramaturgas que se formaram naquele bairro. Tantos negócios ligados à arte e a criatividade que foram criados e – mesmo sem saber na época – se mostraram fundamentais para inspirar futuras gerações de empreendedores e artistas. Definitivamente aquele tempo e, principalmente, as pessoas que viveram intensamente aquele período, que tanto contribuiu para a construção da identidade cultural contemporânea da cidade de São Paulo, poderiam ter sido registrados em mais livros, filmes, documentários e etc.

Outros tantos momentos da nossa história cultural contemporânea também não foram contatos ou assimilados como deveriam e mereciam. Uma lista enorme de reflexões e oportunidades perdidas, poderia ser feita não apenas na cidade de São Paulo, mas em praticamente todos os centros urbanos do Brasil. Desse incômodo pessoal e do sentimento compartilhado com muita gente com quem conversei sobre a necessidade de se registrar esses fatos mais subterrâneos das cidades, surgiu o desejo de escrever sobre uma história que eu vivi recentemente, com muita intensidade e que tem reflexos muito vivos, seja na diversidade cultural, seja na relação entre a cultura e ativismo, seja na explosão de uma economia criativa emergente e forte. Devemos registrar, puxar pela memória e buscar criar um caldo de reflexão sobre a cidade que vá além do agora e do presente. Pretendo registar aqui movimentos anteriores que geraram o ambiente dessa história, falar dos acontecimentos mais marcantes e avaliar as consequências que persistem até hoje.

Antes disso, porém, uma ressalva: falar de um ambiente onde muitos conviveram e atuaram com dedicação e paixão, como é o caso do Baixo Augusta, é um desafio e tanto. Nesse sentido, um exemplo que me encheu de entusiasmo e me encorajou bastante foi o livro *Greenwich Village 1963: performance de vanguarda e o corpo efervescente*, da escritora americana, especialista em dança e vanguardas artísticas, Sally Banes. A obra nos ajuda a entender muito do que aconteceu no universo das artes, da criatividade e do ativismo na Nova York nos anos 60 e todas suas expressões do comportamento que foram fundamentais para moldar as características da cidade. Para alguns críticos, no entanto, a obra de Banes retratou a batalha pela perfeição artística daquela época, sob a ótica privilegiada de uma moradora do bairro e personagem que conviveu diretamente com a cena que descreveu. Era como se todas as facetas revolucionárias daquele período estivessem relacionadas umbilicalmente com a autora e seu meio ambiente. Era como se tudo acontecesse em seu quintal.

A região da cidade de São Paulo que tem como limites a Avenida Paulista e a Rua da Consolação, descendo até a Praça Roosevelt e que é recheada por diversas ruas paralelas e perpendiculares em torno da Rua Augusta, na região central, atraiu uma série de manifestações artísticas e comportamentais que geraram uma diversidade especial e um ambiente rico para impulsionar a arte, a cultura, o ativismo e o empreendedorismo da maior cidade do hemisfério sul. Foi e permanece sendo palco de uma batalha colorida e criativa pelo direito à cidade em uma megalópole geralmente cinza e opressora, e desafia as concepções mais engessadas da cidade para assim influenciar na própria identidade de São Paulo.

A expressão "Baixo Augusta" começou a ser utilizada com frequência a partir de 2008, ano que marca a explosão da diversidade na região e o funcionamento concomitante das mais importantes casas noturnas, bares, ateliês e outros empreendimentos emblemáticos daquele contexto, que lideraram o processo de ocupação urbana através da cultura. Vinculando a história do "Baixo Augusta" com a trajetória desses espaços criativos e festivos, percebe-se a força da relação desse nome com a cena que se formou nesses ambientes, principalmente no que diz respeito aos artistas que surgiram ou passaram por lá. O nome "Baixo Augusta", portanto, está vinculado à formação e renovação cultural em várias áreas e com o desenrolar das carreiras de uma importante geração de artistas.

A partir de 2009, com a criação do bloco carnavalesco Acadêmicos do Baixo Augusta, fundou-se uma espécie de entidade informal de representação desse "bairro novo", pois o bloco foi o primeiro movimento social que usou o nome oficialmente tal qual ele ficou conhecido e o divulgou em outros nichos da cidade, saindo da bolha alternativa para então dialogar com o universo do samba e com a multidão que, rapidamente, ao longo dos anos se apropriou do projeto carnavalesco para tomar as ruas da cidade. O nome Baixo Augusta então também é sinônimo da retomada do carnaval de rua paulistano.

Na mesma época, impulsionados pelo ambiente artístico e noturno, começaram a surgir pequenos empreendimentos feitos por e para jovens. Restaurantes, marcas de novos estilistas, lojas colaborativas, cabeleireiros, tatuadores etc. A região passa a ser vista como uma espécie de laboratório para novos negócios onde custos baixos e alta rotatividade de gente interessada em novidades, geravam o ambiente ideal para esse tipo de empreendedorismo. O nome Baixo Augusta, fica associado assim a uma *microeconomia criativa* que começava a despontar na cidade. Os movimentos sociais que explodiram, reivindicando o direito de ocupação e pertencimento da cidade, tiveram como palco importante a região que já havia se estabelecido no imaginário como espaço de expressão libertário, sediando eventos como o "Existe amor em SP", movimentos como o "Parque Augusta o Parque Minhocão" e a dezenas de coletivos que utilizam a Praça Roosevelt como espaço de diálogo e deliberação de suas ações políticas. O nome Baixo Augusta então, também está ligado ao novo ativismo da cidade.

Em um trecho da crônica *Para Dulcinéia, que nunca foi del Toboso* do escritor e jornalista Caio Fernando Abreu, publicada no Especial de

Domingo do jornal *O Estado de São Paulo*, em 6 de fevereiro de 1994, apareceu pela primeira vez para mim a expressão – ainda que em sua versão feminina. A "baixa Augusta" de Abreu não é apenas a versão inicial do nome da região, mas também a primeira vez que a palavra "baixa" aparece para diferenciar a parte mais transgressora da rua, voltada da Avenida Paulista para o centro da cidade, que era bem diferente do *pedaço razoavelmente civilizado*, voltado da Avenida Paulista para a nobre região dos Jardins. Abreu inclui, portando, um contexto comportamental fundamental para definir o ambiente que marca a região. Meu palpite sobre a variação para o masculino "Baixo" passa a ser amplamente utilizado em reportagens no maior período de efervescência cultural e criativa da região, é a influência dos tradicionais bairros cariocas como o Baixo Gávea e Baixo Leblon, nos jornalistas culturais da época.

"[...] escolhi a mais modesta e refrescante das saídas – tomar uma cerveja num bar da rua Augusta. Esclareço: nem sequer da baixa Augusta, perto do centro, mas daquele pedaço razoavelmente civilizado, próximo à Paulista".

120 POR HORA

Muitos estudiosos apontam as mudanças ocorridas no mundo após a Segunda Guerra Mundial como fundamentais para o surgimento um novo comportamento jovem. O recém inaugurado ciclo de desenvolvimento industrial e as medidas inclusivas e compensatórias do *estado de bem-estar social*, geraram, no contexto internacional, movimentos de jovens que ocupavam espaços urbanos como novos pontos de encontro de suas respectivas cenas. Eram espaços de sociabilização juvenil onde claramente demonstravam tentativas de rupturas comportamentais com a ordem anterior. Naquele mundo em ebulição brotava uma nova identidade juvenil com todo o ímpeto questionador da juventude em relação ao tradicionalismo dos anos 50. A efervescência relatada por Sally Banes do *Greenwich Village* em Nova York, assim como a *Carnaby Street* em Londres que foi o epicentro da chamada *Swinging London* – onda de transformações na arte, música e moda que marcou a capital inglesa – são apenas dois exemplos.

Em São Paulo, o primeiro espaço urbano que se transformou em um ponto de encontro importante da juventude no pós guerra, foi a Rua Augusta, com seus três quilômetros de extensão, dezoito travessas e o cruzamento com a Avenida Paulista – via mais importante da cidade. Analisando como era a rua daquele período, é possível identificar muitos elementos que despontaram na época e permaneceram até hoje. A rua já tinha dois polos de agitação e efervescência de cultura e vida noturna: no lado jardins, especialmente entre as ruas Estados Unidos e

Lorena, e no lado centro, nas proximidades da Praça Roosevelt. No lado Jardins, bares como Lancaster, Hi-Fi, Escócia, Chez Moi e clubes noturnos como Saloon e Bilboquet surgiram voltados para um jovem que queria escutar rock'n'roll e bossa nova e experimentar esse contexto internacional de grandes transformações. Aquela área era fechada aos sábados, transformando-se em um grande *boulevard*, o que gerava o ambiente perfeito para a ocupação juvenil. Esse lado da Augusta também era muito associado com a moda e sua importância central na construção da identidade do jovem no mundo todo. O comércio de roupas e acessórios se desenvolveu paralelamente aos locais de entretenimento que os jovens frequentavam. Além dos bares e clubes noturnos, a Augusta fervia em cinemas como Paulistano, Majestic, Picolino, Astor, em confeitarias, como a Metro e Yara, nas lanchonetes como o Frevo e Hot Dog e, como dito, nas butiques como a Pharafernália, Pandemonium, Mondo Cani, Drugstore, Kleptomania, Ao Dromedário Elegante, além da Galeria Ouro Fino espaço que permanece até hoje como referência de cultura jovem. Um dos *hits* da área naquele período eram os animados shows de Jonnhy Alf e sua banda que lotava as pistas de dança.

O outro lado da Rua Augusta era influenciado diretamente pela sua proximidade com o centro da cidade e tudo que acontecia por lá. Muitas empresas com o tempo foram se instalando e a vida noturna ganhou força, em especial na Praça Roosevelt, considerada a meca da música naquele período e onde muitos clubes noturnos luxuosos e sofisticados surgiram. Essas casas noturnas eram bares, restaurantes e boates ao mesmo tempo, e ofereciam programação variada, atraindo um público mais velho do que o outro lado da Augusta. O lado centro era o preferido da cena artística da cidade e, as noites mais disputadas aconteciam em casas noturnas como o Farney's do cantor Dick Farney, o Moacyr Bar, do também cantor Moacyr Peixoto e na boate Chicote. Outros pontos concorridos eram A Baiuca, que tinha como residente o pianista Pedrinho Mattar e o Bar Djalma's onde Elis Regina fez seu primeiro show na cidade. Na Roosevelt surgiu também no mesmo período, o Cine Bijou, primeiro cinema dedicado aos filmes de arte de São Paulo.

A grande influência que o rock'n' roll e o *american way of life* exerceu na juventude, fincava suas raízes e pautava o que acontecia na Rua

Augusta. As lanchonetes serviam *hamburguer, hot dog, milk-shake* e *cuba libre* e os carros velozes de *Detroit* rasgavam a rua em rachas pelas madrugadas. Esse estilo de vida, inspirado na rebeldia de James Dean e Marlon Brandon, ao mesmo tempo que chocava a sociedade conservadora da época, estabelecia novos padrões de consumo, influenciando diretamente a indústria da moda e da publicidade. Com o estilo rebelde virando rapidamente tendência de mercado, a indústria musical no Brasil imediatamente se adaptou produzindo centenas de discos de uma nova geração de artistas. A Jovem Guarda explodiu e nomes como Roberto Carlos, Erasmo Carlos e Wanderléa, consolidaram a trilha sonora daquela época, seja nas rádios, programas de TV especializados ou mesmos nas ruas. A Jovem Guarda teve um papel central no ideal do jovem urbano e moderno daquele período e a Rua Augusta foi o campo ideal para o desenvolvimento desse novo estilo de vida, como foi registrado nos versos do clássico *hit* de Ronnie Cord, também gravado por outros artistas anos depois:

> Entrei na Rua Augusta a 120 por hora
> Botei a turma toda do passeio pra fora
> Fiz curva em duas rodas sem usar a buzina
> Parei a quatro dedos da vitrina
> Toquei a 130 com destino à cidade
> No Anhangabaú eu botei mais velocidade
> Com três pneus carecas derrapando na raia
> Subi a galeria Prestes Maia

Não foi apenas a música que retratou aquela explosão de cultura jovem na região. Em 1965, Mazaroppi lançou *O puritano na Rua Augusta*, filme que abordava a dificuldade de compreensão do novo estilo de vida jovem pelos setores mais conservadores da sociedade e, em 1968, Carlos Reichenbach dirigiu *Uma Rua tão Augusta*, obra que fala do comportamento, da vida noturna e dos tipos excêntricos que frequentavam a rua. Os registros cinematográficos da Augusta naquela época de fato enfatizavam os espaços de convívio juvenil do pós guerra, influenciados pela onda consumista e a cultura americana, mas também reproduziam o ambiente democrático e de encontro de diversas classes sociais, que o espaço urbano ocupado propicia, e do qual uma cidade que cresceu sem nenhum planejamento como São Paulo, carecia tanto. A Rua Augusta, portanto, exerceu para os jovens dos anos 60 e início dos 70, esse papel de ponto de encontro. Foi a grande praia dos paulistanos naquele período.

Entrando nos anos 70, a cidade viveu uma crise comercial e de tráfego que dificultava a circulação das pessoas, o que teve impacto direto na Rua Augusta e na agitação das suas áreas de cultura jovem e de vida noturna. Entre 69 e 71 a cidade sofreu com a primeira gestão de Paulo Maluf, nomeado prefeito biônico pela ditadura militar. As soluções urbanas do político para enfrentamento das crises das cidades se transformaram em monumentos do que ficou conhecido como malufismo, prática política que por muito tempo afetou São Paulo e tem reflexos até hoje. A construção da cidade cinza e opressora para as pessoas, feita para a circulação de carros constituiu um ambiente urbano e um estereotipo de cidade, que só seriam combatidos muito tempo depois. Mas, o ambiente opressor da cidade de Maluf, acabou também gerando efeitos colaterais e processos de resistência àquela situação, que estimularam a vitalidade cultural e artística, e que marcaram a região e toda a cidade.

Um lugar em especial se destacou como espaço de boemia e resistência artística à ditadura. O Jogral, pequeno bar do cantor e compositor Luis Carlos Paraná, que ficava na Rua Avanhandava, quase esquina com a Augusta, foi um ponto de encontro importante de intelectuais, músicos, poetas e compositores. Paraná, que já havia sido o diretor artístico do famoso João Sebastião Bar da Rua Major Sertório – tido como a meca da Bossa Nova na cidade – era além de artista, um articulador da cena cultural e da boemia da época. Em uma crônica que tem como título o nome do bar, o escritor Mário Prata, crava: "[...] O Jogral era a válvula de escape. O *Old Eight* deste que te escreve [...]".

Lá reuniam-se artistas como Chico Buarque, Gilberto Gil, Toquinho, Jorge Ben, Trio Mocotó entre tantos outros, muitas vezes para dar canjas ou testar alguma música nova junto à pequena, mas super antenada audiência. Prata conta alguns momentos importantes em sua crônica, como quando ouviu pela primeira vez Gilberto Gil tocando *Aquele abraço* ou quando Oscar Peterson, grande músico americano, entrou no bar e depois de umas doses de uísque sentou ao piano e tocou até a madrugada, acompanhado pelo violão de Geraldo Cunha. Um dos mais assíduos no Jogral era Paulo Vanzolini, que com Adauto Santos e o próprio Paraná costumava participar de desafios de modas de viola no palco da casa.

Nessa mesma época, tanto o Jogral como outras casas no centro de São Paulo, recebiam shows de artistas novos e recém chegados na cidade. O movimento Tropicalista – como não poderia deixar de ser diante da sua celebrada importância para nossa cultura popular – influenciou de forma fundamental a cultura da cidade e, por consequência o que seria o Baixo Augusta no futuro. Gilberto Gil, Caetano Veloso, Gal Gosta, Maria Betânia, Tom Zé entre outros eram assíduos daquele universo. São Paulo foi a primeira parada desses grandes nomes e algumas obras primas da nossa música foram compostas tendo a cidade como tema.

Com o passar dos anos 70, no lado Jardins, muitos dos lugares badalados fecharam suas portas, deixando seus imóveis para outro tipo de entretenimento acontecer nas décadas seguintes. Já no lado centro, uma interminável obra da Praça Roosevelt e os constantes problemas de trânsito, foram criando um ambiente de deterioração da área e os estabelecimentos elegantes foram sendo substituídos por lugares menos requintados nas ruas do entorno da praça. Na imprensa da época começam a se referir ao lado centro da Augusta como sendo um lugar mal frequentado e de um tipo de despojamento inconvenientes para aquele tempo. Começa a se desenhar o ambiente que se tornaria uma das mais famosas zonas de prostituição da cidade.

NEON

O cenário da Augusta para o lado do centro nos anos 80 era formado por alguns grandes prédios que surgiram bem perto da Avenida Paulista e hotéis espalhados ao longo da rua para atender a demanda daquele que era a principal região comercial de São Paulo. No entanto, a maioria dos imóveis da rua, pequenos e médios sobrados, sofriam diante da situação econômica e da constante degradação do centro da cidade. Com a desvalorização criou-se a oportunidade para o surgimento de negócios que pudessem ocupar os sobrados com um investimento relativamente pequeno, e com isso se aproveitar da frequência dos muitos empresários e executivos que passavam os dias de semana hospedados na região. Aparecerem assim, diversos American's bar, casas de massagens e saunas mistas que foram aos poucos se instalando entre as ruas Costa e a Praça Roosevelt, explorando a combinação de imóveis bem localizados com a clientela abastada.

A característica de eixo viário importante da rua que ligava o centro da cidade aos bairros mais nobres, com um trânsito de carros constante ao longo dos dias e das noites, gerou também um ambiente perfeito para a prostituição de rua. Concentrou-se portanto em um único endereço, o que nas décadas anteriores se dividia entre a "Bocas do Luxo" na região de Santa Cecília onde existiam muitas casas de prostituição; e a "Boca do Lixo" na região de Santa Ifigênia, onde a prostituição de rua era a principal característica. A Augusta se torna naquela época, a grande zona de prostituição da cidade com caraterísticas únicas, por juntar os estabelecimentos especializados com a prática em plena rua. Além disso, a rua também se diferenciava de outros locais de prostituição por não delimitar as calçadas – como era tradição em outras zonas do tipo – onde travestis e mulheres podiam se exibir pela via pública. Na Augusta, desde sempre foi tudo junto e misturado.

A verdade é que a Augusta centro foi provavelmente por algum tempo um dos maiores *Red Ligth Districts* do mundo, se equiparando em quantidade de estabelecimentos por exemplo, com o libertário bairro De Wallen em Amsterdã na Holanda. E assim como as luzes vermelhas características do *District* holandês, a Rua Augusta também teve uma marca estética muito forte com seus *neons* de todos os tipos e de todas as cores – alguns, inclusive, animados que simulavam movimentos de pernas, braços, bocas, cigarros, *drinks* etc. Eles estavam espalhados por vários quarteirões até a Praça Roosevelt cujo entorno abrigava no final da década de setenta, estabelecimentos decadentes que se tornariam também espaços de prostituição, trazendo mais *neons* para a região. Casas como Relax Center, Relax Palace, Boate Maison, Balneário, Nova Babilónia, Big Valley entre outras, ostentavam suas fachadas multicoloridas. Os *neons* permaneceram ao longo de anos e presenciaram as diversas transformações do bairro, só sucumbindo quando o Prefeito Gilberto Kassab instituiu a Lei Cidade Limpa muito tempo depois, em 2006. A diminuição drástica das cores e formas dos *neons* da Augusta imposta pela Lei, não modificou a efervescência da região, mas talvez apenas tenha a deixado menos charmosa.

Essa comparação com o bairro holandês não leva em conta o papel do estado e o nível avançado que o país europeu estabeleceu no tratamento das liberdades individuais. No Brasil, como na maior parte do mundo, falar de zonas de prostituição significa associar o espaço urbano em questão com um ambiente de ilegalidade. O clima de rebeldia dos jovens do pós guerra e os rachas de carros velozes da época da Jovem Guarda beiram à ingenuidade quando analisamos o ambiente de submundo que se criou na rua ao longo de pelo menos duas décadas de ligação direta dos mundos das putas e das drogas de São Paulo. Máfias locais e internacionais sempre estiveram presentes explorando o território marcado pela ausência do estado. A expressão camufla o fato de que se o estado, como provedor de serviços essenciais era ausente, sua presença era muito notável na forma de policiais que acobertavam, ou mesmo se envolviam, nos negócios ilegais, fiscais municipais que faziam das vistas grossas para liberação de alvarás um ganha pão. E, é claro, os políticos das mais variadas matizes ideológicas que se aproveitavam do discurso moralizador de combate àquele ambiente hostil e criminoso para ganhar os votos mais conservadores. Por outro lado, sempre existiu um espírito ativista na rua, especialmente de movimentos sociais e identitários e políticos bem intencionados que demostravam preocupação com direitos humanos e com as liberdades, apoiando as diferentes causas que também se faziam presentes naquele ambiente.

Assim como acontecia ao redor do mundo, o universo *underground* da Rua Augusta começou então a ser retratado por diversas manifestações artísticas. A relação entre a transgressão e a arte, sempre presente na região, se intensificou naquele momento. A rua com todos os seus elementos de degradação social e econômica, portanto, reafirmava sua importância enquanto personagem, ou mesmo como objeto da expressão artística, antes de se transformar em território de produção e difusão desse tipo de manifestação. Em 1987, por exemplo, no filme *As belas da Billings*, do cineasta Ozualdo Candeias retratou a prostituição dos travestis em uma Rua Augusta de camelôs e de solidão, em 1994, a pintora sueca Helen Rosén, organizou uma exposição sobre esse universo dos travestis, já em 2001, o escritor Alex Antunes publicou *A estratégia de Lilith* narrando suas experiências em uma rua de prostitutas, música e rituais *neoxamânicos*, e, em 2009, o escritor Reinaldo Moraes, em seu romance *Pornopopéia*, retrata a libertinagem, o crime, as drogas e a relação de uma classe média que frequentava a rua em busca de escapismo e loucura.

Nos anos 80, um lugar se destacou como epicentro musical na Augusta em meio a era do *neon*. Em setembro de 1985, em uma tenda para 3.500 pessoas armadas na esquina com a rua Caio Prado – onde hoje se situa o Parque Augusta – surgiu o Projeto SP. Aberto com um show do baixista de jazz Stanley Clarke, o Projeto deixou claro que a cidade estava pronta para receber mais shows internacionais e foi uma referência fundamental no rock nacional e na música brasileira em geral. Por ele passaram, por exemplo, Blitz, Paralamas do Sucesso e Capital Inicial. Em novembro de 1987, o endereço mudou para a Barra Funda e teve a capacidade aumentada para 10 mil pessoas. Da mesma forma que o Projeto SP era ponto de encontro da juventude em busca da novidades musicais, um outro local, que misturava bar, restaurante e galeria de arte, foi criado pelo ator Antonio Maschio e pelo jornalista Wladimir Soares, e se transformou no grande ponto de encontro de quem queria sair para falar sobre o momento político do Brasil, entre a ressaca da ditatura e a transformação que estava por vir. O Spazio Pirandello reuniu uma grande parte da classe artística e da intectualidade paulistana. O livro de memorias sobre o lugar, de autoria de Wladimir Soares, é um documento importante que retrata essa época muito efervescente e traz fotos e histórias deliciosas, como a de Paulo Autran assinando a Calçada da Glória que o espaço mantinha, ou do jovem Fernando Henrique Cardoso brindando com os sócios. Humberto Werneck em sua crônica *Só mesmo no Pirandello* para o jornal *O Estado de S.Paulo* de abril de 2013, destaca também o caráter ecumênico do bar, que era frequentado por jornalistas como Mino Carta, Claudio Abramo, Ricardo Kotsho, Clovis Rossi, Nirlando Beirão, Roberto Pompeu de Toledo e Paulo Markun, em uma época onde era comum as diversas tendências políticas de esquerda se reunirem em bares específicos. Além disso, o artigo coloca o Pirandello como uma importante referência da liberação sexual, antes da Aids aterrorizar o mundo. Um evento destacado como exemplo disso, foi a exposição da fotógrafa Vania Toledo, com homens nus, alguns inclusive *habitués* da casa.

SAMBA ROCK

Na virada dos anos 90 para os anos 2000, a vida noturna da Rua Augusta e adjacências começou a ficar mais diversa. Foi surgindo uma tendência de festas organizadas em busca de aventuras mais ousadas na noite da cidade. Jovens promotores, artistas a procura de novos espaços de difusão para sua arte, grupos de estudantes universitários, alugavam as casas de prostituição e promoviam eventos diferentes dos convencionais em busca de novidades em meio ao ambiente transgressor. A juventude das classes média e alta da cidade buscava um cenário mais ousado pra sua diversão e um espírito mais cosmopolita para seus empreendimentos culturais. Para as casas abriu-se uma nova fonte de renda em um momento de extrema decadência das atividades da rua, pois nesse período a região foi tomada por com tentativas forçadas de revitalização. Eram comuns cercos policiais, batidas e outras ações midiáticas do poder público que almejava passar para o eleitorado uma imagem moralizadora. A cidade estava sendo bombardeada pela máfia dos fiscais da gestão do então prefeito Celso Pitta, afilhado político de Paulo Maluf e com o loteamento das então Administrações Regionais para os afiliados políticos dos vereadores, acentuou-se na cidade as práticas de achaques do poder público sobre muitas atividades econômicas, em especial aquelas do setor de serviços, que dependiam de alvarás de funcionamento para atendimento do público. Era comum também nessa mesma época, ações políticas paliativas como *blitz* policiais e em defesa do silêncio e da ordem pública, interdição de casas sem documentação etc. Pra o olhar mais atento, muitas vezes essas ações ajudaram a desviar a atenção da opinião pública sobre o noticiário que dia após dia trazia mais informações sobre a máfia dos fiscais e seus desvios.

Nesse contexto, esse movimento de festas começou aos poucos a transformar o público da rua. Iniciou-se uma espécie de fetiche da juventude da cidade em conviver com a ilegalidade e a diversidade de um ambiente *underground* e tão livre. Passar pelas prostitutas enfileiradas pela calçada para entrar em uma festa ou observar o movimento dos mais variados tipos de crimes e contravenções que ambientes como esses naturalmente tem, começaram a fazer parte da ideia de curtir a noite. Era a experiência de se compreender a cidade através de um pedaço com características libertárias, mas cercado de bairros ricos como os Jardins, Higienópolis, Perdizes. O que de certa forma, fazia da pseudo ousadia uma experiência protegida e segura.

Aos poucos, embaladas por esse movimento mais diverso da rua e pelos preços mais em conta causado pela desvalorização do mercado imobiliário dos estabelecimentos dos *neons*, foram surgindo no entorno da rua, algumas casas noturnas de um tipo novo. Esses espaços representavam diversos públicos e simbolizavam a permanência da vocação da região como local de sociabilização juvenil, mesmo diante do *Red Ligth District* que se formou com tanta ênfase. Cinco casas criadas nessa época são representativas da diversidade que se instalava na região, trazendo para o bairro frequentadores ligados ao rock, ao samba-rock, à música negra, ao hip hop, ao movimento cultural gay e ao universo *fashion*.

No início dos anos 2000, os irmãos Alex e Márcio Cecci e o artista MZK aproveitando essa movimento de ocupação de espaços não convencionais para festas e outros tipos de atividades que aconteciam no centro de São Paulo, começaram a promover um concorrido evento no bar do histórico Hotel Cambridge, na Avenida 9 de Julho, que misturava experimentações sonoras com comida mexicana. Algum tempo depois, embalados pelo sucesso do evento, decidiram abrir um clube noturno – a Jive – na rua Caio Prado – entre a Augusta e a rua da Consolação. O clube não apenas se destacou pela coragem de estabelecer um negócio fixo na região com todas as características que foram descritas aqui, como também foi um espaço de relevância e experimentação musical. Estilos como samba rock, *swing* brasileiro, ritmos latinos e variações da *black music* passaram a pautar as noite da casa e em pouco tempo, a Jive se transformou em ponto de encontro de um universo criativo da cidade. DJs, MC's, artistas plásticos, produtores e jornalistas batiam cartão no local e passaram a conviver mais intensamente com a região. DJ Don KB – nome artístico do saudoso proprietário, Alex Cecci – tocava um som diferente e raro para época. É possível dizer que ele foi o grande responsável pelo que podemos chamar de novo movimento de samba rock que tomou conta da cidade. Muita gente começou ou voltou a ouvir artistas importantes da música brasileira como Bebeto e Gerson King Combo – que inclusive fizeram alguns shows na Jive – a partir da experiência sonora que tinham com os *sets* do DJ Don KB. Depois das noites da Jive, e com a proliferação da fama da casa pelos tantos formadores de opinião que a frequentavam, surgiram muitas festas e até clubes noturnos dedicados ao estilo, especialmente na região da Vila Madalena. Na Jive despontaram muitos artistas – principalmente DJs – ainda em início de carreira, que depois se tornariam expressivos na cena cultural do país. DJ Zé Gonzales, que fez parte do Planet Hemp e hoje é internacionalmente conhecido como Zegon do duo Tropikillaz, DJ Nuts que passou pelo Rappa e tocou com Marcelo D2, são bons exemplos. A Jive proporcionou uma interessante mistura de classes sociais através da cultura, da noite e da qualidade musical. Foi lá, por exemplo, que lembro de ter visto muitos produtores musicais da classe média/ alta terem contato pela primeira vez com artistas como o DJ KLJay, dos Racionais MC's. Aliás, era comum ver os integrantes do principal grupo de rap brasileiro e de outros grupos seminais do gênero circulando pela casa, que se tornava também um ponto de encontro de artistas da periferia da cidade.

 A inequívoca importância da Jive pode ser simbolizada com a grande festa em celebração dos seus três anos, no clube Piratininga na Alameda Barros, com a presença do lendário DJ Afrika Bambaataa, em uma de suas primeiras apresentações em solo brasileiro. A Jive teve vida breve e sofreu muito por seu vanguardismo e sucesso. Foi alvo constante dos achaques de fiscais da prefeitura e teve sempre uma relação complicada com os moradores do prédio em que se situava. A casa localizava-se na loja no térreo do prédio e a música e o som da aglomeração de pessoas no lado de fora eram motivos de muitas reclamações e constantes fiscalizações. Mal sabiam eles que aquele tipo de empreendimento iria caracterizar toda a região e valorizar muito seus próprios imóveis algum tempo depois. A vida noturna transformaria a região e seria a grande indutora de uma valorização imobiliária pouco provável de ocorrer no cenário anterior à empreendimentos como a Jive.

Do outro lado da Augusta, na Rua Frei Caneca, uma casa dedicada à cultura *clubber* e voltada para o público LGBT agitava os dias e noites da região desde 1996, como uma espécie de espaço de resistência do universo voltado à música eletrônica, capitaneada pelo produtor Nenê Krawitz e por DJs como Zozó, Ednei, Renato Lopes e Mau Mau. A Loca, clube que se auto intitula "mais *under* do que *ground*" para tentar achar um trocadilho que represente seu ambiente ultra transgressor, foi fundamental para estabelecer a Frei Caneca como um território símbolo do movimento LGBT na cidade, especialmente depois do início das festas Grind dedicadas ao rock, repletas de fetiches, performances de transformistas e frequentadas tanto por heterossexuais como homossexuais aficionados pelo gênero musical. Nomes com André Pomba, Paulo Ciotti, Grá Ferreira, Fernando Moreno, Gustavo Vianna, Mauro Borges, Silvetty Montilla entre tantos outros, fizeram parte da história da A Loca que resiste bravamente como ambiente libertário até os dias de hoje.

No final dos anos 2000, o casal de artistas e designers Victor Corrêa e Zeca Gerace criaram no apartamento que moravam a Festa da Chave onde seus convidados ganhavam a chave da casa e, ao entrar no histórico Edifício Livro Aberto da Praça da República no centro da cidade, eram – segundo palavras deles próprios – "absorvidos pela profusão, sinergia e mescla de arte, performance, diversão, música, luzes e pessoas ávidas por consumirem e devorarem novos sabores e possibilidades". O sucesso e o ineditismo foi tão grande que depois de 8 edições da festa, em junho de 2002, foi inaugurado na Rua Martinho Prado, no final da Rua Augusta, o Clube Xingu, que se tornou rapidamente em um dos marcos da vida noturna da cidade, especialmente para o universo ligado à moda. O clube era frequentado por designers, estilistas, fotógrafos, produtores, modelos, *beauty artists*, diretores de cinema, teatro, atores e celebridades interessados em curtir o clima do centro de São Paulo. Batiam cartão na casa, importantes nomes da cultura como a jornalista Erika Palomino – autora do livro *Babado forte* – um dos poucos registros sobre a noite da cidade – e que na época assinava a coluna "Noite Ilustrada" no jornal *Folha de S. Paulo*, o jornalista Lucio Ribeiro – naquele tempo dando os primeiros passos de seu *blog* Popload, que se tornaria depois uma marca multifacetada do entretenimento independente e pop da cidade, o empresário Facundo Guerra e a artista plástica Rita Wainer – que na época eram sócios da marca Theodora, cujas camisetas eram uma espécie de catalizador estético da turma que frequentava o clube, entre tantos outros. O Xingu foi um local de boas experimentações, especialmente com as noites dedicadas ao eletro rock da dupla de DJs Luca e Liana os *sets* extravagantes do DJ e jornalista de moda Jackson Araújo que com discotecagem muito performática, misturava clássicos brasileiros e *hits* internacionais e passeava pela música brega. O som e estilo de discotecagem de Jackson influenciou muitos DJs e festas que invadiram a cidade tempos depois. Sem palco, alguns shows de bandas pequenas aconteciam na pista de dança, com público e artistas misturados, dançando e cantando ao mesmo tempo. Essa pista foi muito frequentada, por exemplo, pelas meninas que montaram naquela época a Cansei de Ser Sexy – banda de rock brasileira com grande reconhecimento internacional. Elas se apresentavam de forma improvisada no clube. Adriano Cintra, compositor do CSS – sigla pela qual a banda ficou mundialmente conhecida – também participou de projetos musicais no Xingu e Luisa Lovefoxx fez memoráveis performances por lá. Nas noites do produtor Ricardo Athayde, outra banda se destacou: a Plitzie – que tinha a improvisação como marca – reunia além de Ricardo nas bases, Zeh Monstro no baixo, Boris Fratogiani na guitarra e minha irmã, a produtora e atriz Roberta Youssef, que recitava trechos de peças da companhia da qual fazia parte. A Plitzie teve carreira breve e meteórica e é um exemplo do *hype* criado pelos ilustres frequentadores do Xingu. A banda chegou a estampar capas de cadernos de cultura nos principais jornais e a tocar em desfiles e festas da São Paulo Fashion Week.

Em 2002 foi aberto na Augusta o Internet Point, que era uma mistura de *lan house* com sebo e ateliê para ensaios e experimentações. Era também um espaço de *coworking*, muito antes desse termo existir. De noite, o espaço se transformava em um espécie de clube noturno improvisado. Potencializado pelo público que frequentava o tradicional Espaço Unibanco, hoje Cine Itaú, o local foi aos poucos se transformando em um dos pontos mais agitados da rua. Em 2004, o Internet Point mudou de nome e passou a ser chamado de Sarajevo, um clube noturno com ênfase em música brasileira que também recebia pequenas peças de teatro e performances. Lazlo, proprietário do Sarajevo, era um personagem conhecido da Rua Augusta. Húngaro radicado no Brasil viveu os dramas da cortina de ferro no leste europeu e trazia para seu clube um espírito idealista. Mais tarde, em busca da regularização da casa diante de tanta agitação, ele se associou com o produtor carioca Magno Azevedo, que alugava uma das salas do espaço para sua produtora, e começou a tocar o Sarajevo enquanto bar e casa noturna. Magno, figura querida na área, depois foi sócio de outros negócios na região. Também muito importante na época, especialmente para os amantes do rock'n'roll foi a OUTS. Muitas bandas e festas desse estilo ocuparam a Augusta e a casa se tornou uma referência dessa cena para todas as idades, com shows e matinês. O projeto é um exemplo de resistência e dura até hoje. Atualmente o espaço se expandiu e envolve além da casa de shows, um amplo bar, estúdio de tatuagem e outros serviços característicos da região. Seu fundador, Zé Carlos, sempre foi um empreendedor da cultura alternativa e um exemplo de resiliência para enfrentar os altos e baixos desse mercado e inspirou muitos outros empreendedores locais, que abriram dezenas de negócios em torno da cultura roqueira.

Na primeira metade da primeira década dos anos 2000, o entorno da Rua Augusta já era um dos principais pontos de agitação noturna da cidade de São Paulo e, sua principal característica era a diversidade das pessoas que frequentavam essas casas que mencionei e tantas outras que começavam a surgir. O caldo cultural misturava o estilo roqueiro cultura gay e *fashion*, as expressões da música negra e o surgimento e uma nova cena musical brasileira. A região se preparava para viver sua experiência como um dos epicentros de cultura alternativa, independente e de vanguarda, assim como outras regiões do mundo viviam naquela época. Antes de termos a efervescência real de pontos efetivos de requalificação urbana através da arte, da cultura e do empreendedorismo, houve um momento de transição onde alguns negócios surgem como desbravadores. Através desses projetos pioneiros, os diversos públicos atraídos por eles foram se acostumando com o bairro, apontando para um futuro em que a convivência entre essas diversas cenas era possível em um mesmo bairro, que se tornaria cada vez mais interessante para dos interessados em cultura urbana. As linhas que uniram as diferentes tendências que já estavam circulando na região foram traçadas por dois empresários: Facundo Guerra e José Tibiriça Martins, mais conhecido como Tibira, figura notória da noite de São Paulo. O clube que os dois criaram se chamava Vegas e foi absolutamente fundamental para tudo que aconteceria no Baixo Augusta algum tempo depois.

QUARTEL GENERAL

Não foi de uma forma planejada que o clube Vegas construiu pontes entre as diversas cenas culturais que estavam frequentando a região da Rua Augusta e com isso se transformou em uma espécie de quartel general daquela geração. O processo foi acontecendo aos poucos e ganhando espaço com o tempo. Um dos segredos do sucesso do clube foi uma sociedade constituída por pessoas de perfis complementares. Tibira conhecia muita gente da noite da cidade e tinha a habilidade para fazer contatos. Enquanto isso, Facundo cuidava da produção, planejava o projeto e se preocupava em tirar as coisas do papel. Apesar de nunca ter feito nada parecido antes, sua experiência em Administração e Marketing fizeram as coisas acontecer. A ideia original de se desbravar a famosa Rua Augusta foi de Tibira. Ele queria transferir o seu agitado antiquário Sixties que ficava na Av. Heitor Penteado e que àquela altura recebia festas e *pocket* shows — foi lá que o Cansei de Ser Sexy fez seu primeiro show — para a região central. A Augusta repleta de galpões de antigas tecelagens que estavam desativados em meio ao *Red Ligth District* era ideal para isso. E foi em um dos quarteirões mais representativos da prostituição e dos *neons* piscantes, ao lado de casas como Balneário — um dos mais antigas daquela zona — que ele achou o imóvel ideal. Foi dele também a ideia do nome: antes de Vegas, o clube quase se chamou HPV e Dallas, em homenagem ao seriado de TV.

Mas o clube noturno realmente ganhou forma pela persistência de Facundo, que praticamente ao morar na obra foi lapidando não apenas o Vegas, mas toda sua carreira. Facundo já nutria a ideia de abrir um clube noturno, projeto que ensaiou em tentativas de sociedade com os donos do recém fechado Xingu. Para isso, ele fazia o dever de casa: pesquisava e estudava sobre as cenas noturnas e os conteúdos que se destacavam na cultura urbana. Naquele período, um novo movimento musical surgia nas dobras das principais cidades do mundo, em seus universos alternativos. Facundo farejou esse movimento e adaptou seu projeto a ele. No início dos anos 2000 a música eletrônica, que era até então um vetor específico, com público fiel mas bastante fechado para outros gêneros musicais, começou a se transformar numa espécie de amálgama, se aproximando e se fundindo com outros gêneros musicais e aumentando sua capilaridade na sociedade.

A música eletrônica portanto passou a funcionar com base para outros tipos de expressão e dessa percepção surgiu a ideia original do Vegas: um clube que faria referência aos anos 2000 e a todo esse movimento musical que estava emergindo naquela época, tendo a música eletrônica como ponto de intercessão entre os diversos estilos. Com essa proposta, a casa logo foi inaugurada em 2005 e passou a receber os mais variados tipos de projetos. Nesse contexto, logo em seus primeiros dias de funcionamento, o Vegas abria o leque de gêneros musicais que ia do hip hop ao rock, todos unidos por bases eletrônicas. O hip hop das terças feiras, por exemplo, com o projeto Chocolate do promoter Guigo Lima, não apenas representava esse gênero musical, como reunia uma boa parte dos personagens principais do rap e do universo do hip hop de São Paulo. A localização do Vegas ajudava bastante nesse sentido, pois estar na região central da cidade, facilitava os núcleos mais periféricos frequentarem a casa e isso dava credibilidade à noite para fugir do estereótipo de rap voltado para *playboys*, como costumavam falar os críticos da absorção da cultura hip hop por setores mais elitizados. Estavam de alguma forma representados na Chocolate os quatro elementos da cultura hip hop: o MC, o DJ, o grafite e os B.Boys. O som ficava a cargo de nomes de peso na cena como os DJs Predinho Dubstrong, King, Primo e Zegon.

As quartas-feiras, o jazz marcava presença com o projeto Cabaré. Em um ambiente mais tranquilo o clube se transformava, com direito à aparições das cantoras em uma boca de cena elevada em meio ao paredão do lado oposto à entrada do clube. O *spot* de luz direcionado e as cortinas de veludo vermelho valorizavam as performances. Nessas quartas era possível encontrar um tipo de frequentador diferente das noites habituais, interessados em música ao vivo. Formadores de opinião, produtores culturais e jornalistas que não costumavam atravessar as madrugadas em noitadas, puderam conhecer o espaço e essa proposta diversa de convivência. Foi um projeto que teve uma importância simbólica na história do Vegas, pois fez o clube flertar com a música tocada ao vivo, mesmo que muitas vezes através de live PA's, e com isso colocou no palco improvisado, nomes interessantes da nova geração de artistas da música brasileira que vinham se desenhando no período, entre eles a cantora Anna Gelinskas e o duo Dudu Tsuda e Tiê, em um projeto embrionário anterior ao que seria a carreira bem sucedida da cantora que se firmou como uma das expoentes da sua geração.

O rock e suas variações estavam presentes na noite Rockfellas das quintas, comandada por Tibira. Ao longo dos anos, foi um dos lugares mais legais para se estar se você fosse apaixonado por rock. Era onde se concentrava um tipo bem característico da Augusta daquele período: pessoas muito bem vestidas e tatuadas, com cabelos coloridos e estilosos, ao melhor estilo do *glam* rock. A noite conseguia ser diversa dentro do universo roqueiro, pois misturava vários estilos e marcava definitivamente esse traço cosmopolita da capital paulista, aproximando o que acontecia no clube, tanto na música, na moda, como no comportamento, com o que estava em voga nos mais importantes centros urbanos do mundo. Muito concorridas foram as noites dedicadas ao rock indie que flertava com a música pop do jornalista Lucio Ribeiro – a essa altura já dando os primeiros passos para se consolidar em um dos mais concorridos DJs da cidade. A Rockfellas foi um ponto de encontro fundamental para quem estava interessado em ouvir desde o som mais *underground*, passando pelos clássicos, até os novíssimos lançamentos do gênero. Nomes como André Juliani, Ana Flávia, China, Pati Laundry, Vanessa Porto e o próprio Tibira se revezavam nas *pickups*, que recebia constantemente convidados ligados à cena como Edgar Scandurra, Clemente do Inocentes, Supla, João Gordo, Kid Vinil, Fabio Massari entre tantos outros.

As sextas-feiras eram reservadas para música eletrônica com foco no público gay e *fashion* e eram pilotadas por Jackson Araújo e Luca & Liana, DJs remanescentes do clube Xingu. Aliás, muito do público que frequentava a extinta casa, batia ponto nessa noite. A música brasileira também era representada aos sábados com o projeto Cassino da Urca, que tive o prazer de fazer juntamente com a apresentadora Maria Prata e o produtor musical carioca Plinio Profeta. Nessa época eu morava no mesmo prédio de Facundo em Perdizes e acompanhei de perto o dia a dia da obra do Vegas. Perto da inauguração, fui convidado por ele para pensar junto com Maria um projeto que trouxesse a brasilidade para aquele contexto musical que ele estava imaginando. Maria já tinha se destacado na noite com suas lotadas festas Pista de Prata no extinto restaurante Bop na Vila Madalena. Chamamos Plinio para fazer as bases eletrônicas para nomes como Davi Moraes e Serjão Loroza que cantavam clássicos da MPB sobre elas. Na pistinha do andar de baixo do Vegas, o DJ Tutu Moraes, residente das noites conduzidas por Maria no Bop, dava um dos passos iniciais de sua bem sucedida carreira de pesquisador musical, que gerou, algum tempo depois, a festejada festa de música brasileira, Santo Forte.

Além desse olhar contemporâneo para a música, o Vegas ainda abria espaço para a música eletrônica estrito senso – aquela representada pelos gêneros mais específicos como Techno e House, que não se misturava com outros estilos e que foi muito popular nos anos 90 e no início dos anos 2000. Clubes como Love de Flávia Ceccato e D-Edge de Renato Ratier – simbolizaram a força desse tipo de música na cidade e colocaram São Paulo na rota internacional dos DJ's mais disputados com um intercâmbio constante entre a cena de DJs nacionais com artistas internacionais. No Vegas, através do Hell's, projeto de *after hours* que começava nas madrugadas de domingos e lotava a casa até a depois do meio dia, a cultura eletrônica anterior foi valorizada em uma esperta homenagem a essa cena *clubber*. A noite remetia ao antigo Hell's Club, espécie de templo paulistano da música eletrônica dos anos 90, situado também na Rua Augusta, lado jardins, em baixo do Colúmbia, casa noturna do empresário Angelo Leuzzi. Assim como antigo Hell's, o *after hours* de mesmo nome era pilotado pela *crew* que reunia a promoter Vivi Flashbaum e seu irmão e DJ Phil Marques e nomes conhecidos da cena *clubber* da cidade, como por exemplo a *hostess* e depois promoter Adriana Recchi, os DJs Gil Barbara, Julião, Pareto, Erik Caramelo, Mau Mau e outros tantos personagens que foram muito bem registrados no livro *Babado forte* da jornalista Erika Palomino. A possibilidade de união entre as cenas mais contemporâneas e os articuladores da música eletrônica mais específica, aproximou também o clube de uma série de personagens da cidade que desenvolveram projetos importantes no Vegas. A noite Discology dos jornalistas e DJs Camilo Rocha e Claudia Assef foi um marco e reuniu os principais DJs da geração eletrônica do Brasil como: Marky, Patife, Mau Mau, Renato Cohen, Anderson Noise em noites memoráveis. Outra exemplo interessante nesse sentido foi a noite Botafogo do também jornalista e ativista LGBT André Fischer, fundador do *site* e do festival de cinema Mix Brasil.

Facundo encontrou uma solução engenhosa para resolver o problema de pouco dinheiro na época de abertura da casa para instalar um sistema de controle administrativo. No lugar dos cartões de consumação normais desses sistemas foram colocadas fichas de casinos de Las Vegas, o que gerou uma simpatia imediata, pois os clientes podiam guardar as fichas usadas em uma noite para gastá-las em outra noite. As fichas também possibilitavam a saída à francesa, ou seja, era muito fácil sair da festa e cair na Rua Augusta, sem pegar filas. Outro ponto marcante do Vegas diz respeito aos seus funcionários. Dois em especial: o *hostess* do clube, Elton Bergamo, que era capaz de domar a multidão que se aglomerava todas as noites em frente ao clube. Por ser a figura da porta – sempre presente ali durante quase todo o período de funcionamento, se transformou não apenas em um símbolo do Vegas, como da própria Rua Augusta daquele período; e Fábio Dias, primeiro chefe de bar do clube, que conhecia absolutamente todo mundo que frequentava a casa e tinha o talento de olhar para o olho das pessoas quando perguntava qual era o pedido e ainda conseguia, em meio à agitação natural do clube, conversar sobre amenidades enquanto preparava os *drinks*. Ele desempenhou diversas funções na noite e foi um dos principais parceiros de Facundo em seus novos empreendimentos.

Contudo, a grande inovação do Vegas era ser uma casa diversa. A polifonia típica de São Paulo, estava representada lá dentro e isso está de certa forma relacionado a uma opção dos sócios em não replicar modelos de casas noturnas de regiões mais ricas da cidade, evitando os camarotes ou área VIP. Na Rua Augusta repleta de clubes noturnos que representavam cenas urbanas cada vez mais expressivas que conviviam democraticamente, não faria sentido uma casa com esse tipo de exclusividade. Isso somado ao momento da música eletrônica, que como relatado, expandia públicos e aglutinava novas cenas, gerou um ambiente rico e intenso, Os lugares mais interessantes são sempre os mais democráticos e diversos e que vasculham as inovações da música desbravando regiões diferentes. Esses lugares são usualmente frequentados por gente de todo tipo e de todas as classes sociais, sem distinção. Foi com esse tipo de ambiente que o Vegas conseguiu o incrível feito de trazer de volta os holofotes para a Rua Augusta. Rapidamente, portanto, a casa deixou de ser assunto apenas nos cadernos culturais específicos, para entrar no imaginário da cidade, inclusive das publicações mais conservadoras de circulação nacional e que não costumavam abrir espaço para esse tipo de clube mais alternativo. Os diversos públicos frequentavam as casas específicas, mas não costumavam caminhar pela rua e ocupar a Augusta com sentido de pertencimento. Era direto para o local desejado e de lá para outro lugar. A partir do Vegas, a convivência dessas diferentes cenas da rua passou a ser motivo de orgulho e de atração de mais e mais gente para a experiência de integração no espaço público.

Nesse sentido, o Vegas pode ser considerado o grande símbolo do processo de transformação urbana na região. A partir da experiência Vegas, outros empreendedores olharam para a Rua Augusta como opção viável e depois de algum tempo, com a consolidação da região, começaram a surgir outras casas noturnas e pequenos negócios. O Clube Noir, por exemplo, criado pelo dramaturgo Roberto Alvim e pela atriz Juliana Galdino, dedicado especialmente às produções de teatro. Desde o início se consolidou como um ponto de encontro do universo teatral com peças, espaço para ensaios e um animado bar, atividades que desenvolve até hoje. Outro local marcante do período imediatamente posterior à abertura do Vegas é o clube Inferno, que é foi referência para os roqueiros da cidade. A abertura de uma filial na Augusta da loja do universo alternativo e *clubber* do início dos anos 2000 A Mulher do Padre (AMP), já sinalizava a tentativa de conexão da marca com o novo epicentro jovem que se formava na rua. Na época surgiu também o *Retrô*, grande salão de cabeleireiros, que apresentava uma proposta espertamente conectada com os estereótipos daquele tempo e, até hoje, aposta em cortes de cabelo ousados, em um ambiente que se assemelha a um bar, com *drinks* e boas músicas dos *setlists* dos Djs da área. Esse tipo de negócio, aliás, virou uma tradição da Augusta a partir daquele momento e muitos outros salões do tipo surgiram ao longo do tempo. Um deles, a concorrida *Barbearia 9 de Julho* na *Galeria Ouro Velho*, se tornou uma referência de respeito às tradições dos velhos barbeiros e possui clientela grande e uma relação muito forte com nossa região.

Fundamental registrar também como característica importante do período, a absoluta cegueira do poder público em relação ao processo que a Rua Augusta vivia. As ações do governo municipal se restringiam aos processos de fiscalização de todos esses estabelecimentos, com a tradicional prática de se criar dificuldades para se vender facilidades. Não se percebia que estava se iniciando ali um dos mais importantes processos de transformação urbana através da arte que a cidade já viveu. Um grande exemplo dessa cegueira se deu quando os sócios do Vegas decidiram celebrar todo aquele movimento que estava acontecendo, promovendo uma grande festa no primeiro aniversário do clube. A ideia era original e podia representar muito bem o momento eletrizante que a Augusta vivia: abrir várias casas da rua – inclusive as tradicionais casas de massagem e saunas – e fazer uma festa coletiva onde as pessoas pudessem circular livremente entre os vários estabelecimentos. Infelizmente, a festa foi proibida sob a alegação de falta de segurança, licenças e etc. Ou seja, ao invés da prefeitura da cidade entrar em cena e atuar junto com os empresários que estavam transformando a região com muito trabalho e muita cultura, para viabilizar um evento que marcaria aquele momento, optou-se pela proibição sumária. Com raras exceções de gestões mais avançadas e modernas, o poder público sempre teve muita dificuldade de enxergar o empreendedorismo cultural e criativo como parceiro.

O Vegas, foi também uma espécie de laboratório para tudo o que Facundo faria depois. Aliás, essa lista é vasta e vale ser mencionada para entendermos o reflexo de como a história bem sucedida de um empreendimento gerou tantos outros projetos simbólicos e importantes para a cidade tempos depois. Destaco entre eles, a reforma do histórico Cine Joia na Liberdade e sua transformação em uma casa de shows, a parceria com a Prefeitura de São Paulo, que gerou a concessão para a recuperação e a exploração comercial que revitalizou o Mirante 9 de Julho – abandonado por décadas, a inauguração do Z Carniceria no imóvel da lendária casa de shows Aeronauta no Largo da Batata, a participação na reativação do Hotel Maksound Plaza com o clube Pam Am no último andar do hotel, a restauração e reabertura do tradicionalíssimo bar Riviera, na Avenida Paulista com a Rua da Consolação e o imponente clube noturno Lions, que desbravou a vida noturna para além do Baixo Augusta, ainda mais ao centro da cidade. Todos esses projetos e outros fazem – ou fizeram – parte hoje em dia do Grupo Vegas, que ao longo de bons anos, representou um tipo de empreendedorismo diferente, ousando na busca por locações históricas e propondo restaurá-las, acreditando em formas alternativas de divulgação e utilização das redes sociais e das novas tecnologias para tanto e sempre criando um discurso transgressor para os padrões estabelecidos para cada tipo de empreendimento que se iniciasse. Era, como destacou Facundo no título do seu livro publicado pela Editora Planeta, um "empreendedorismo para subversivos". Com a crise econômica que o grupo viveu momentos de turbulência e chegou a perder ou fechar alguns negócios. Tibira por sua vez, preferiu desenvolver outros projetos, entre eles o charmoso Clube Caos, aberto na Rua Augusta após o fechamento do Vegas em 2012, que funcionou até 2016. O Caos misturava de antiquário, bar e clubinho. O sucesso do Caos rendeu a Tibira até um programa na TV a cabo History Channel, onde ele pode exibir seu afiado faro para garimpar e negociar relíquias.

Quando o Vegas abriu em 2005, a região ainda não era conhecida como Baixo Augusta. Nosso nome, como já contei, foi inspirado no termo utilizado por Caio Fernando Abreu em uma crônica de 1994 e começou a ser amplamente veiculado em *sites*, jornais e revistas para designar a região da Rua Augusta centro e adjacências a partir de 2008 quando o Studio SP, casa de shows que já agitava a Vila Madalena, decidiu mudar sua sede para galpão na Rua Augusta, onde as condições de palco, camarim e plateia eram melhores. Com essa mudança, o espaço se consolidaria como plataforma de lançamento da nova música brasileira.

PLATAFORMA DE LANÇAMENTOS

Depois de quatro anos de trabalho à frente da Coordenadoria da Juventude da Prefeitura de São Paulo, entre 2001 e 2004, percebi que alguma coisa muito especial do ponto de vista cultural estava acontecendo na cidade. Naquela época, a cidade fervia com festivais como o Agosto Negro, que foi o maior festival de hip hop da América Latina e com a Semana Jovem, projeto que era produzido em parceria com diversos expoentes públicos e privados da cultura jovem, como rádios, TVs, editoras, clubes noturnos, casas de shows e gerava mais de quinhentos eventos espalhados pela cidade com o objetivo de agitar São Paulo e dar viabilidade às novas cenas urbanas. Eram vários circuitos de música que toda semana alcançavam tanto o centro como os quatro cantos da metrópole, como o Rock Cidadania voltados para bandas esse gênero, Lov.e por São Paulo para música eletrônica, São Paulo Samba novo, SP Independente, SP Capital Graffiti etc. Foram impactantes também as paradas de música eletrônica que lotavam a região do Parque do Ibirapuera, em verdadeiros carnavais conduzidos por DJs. Eram tantos novos artistas, bandas em início de carreira, DJs, grafiteiros que é simplesmente impossível listar todos aqui. Tinham qualidade e vitalidade e se envolviam em projetos com a Prefeitura em busca de espaço e visibilidade para seus trabalhos. Eram muitos fluxos culturais crescentes e muita criatividade e potência emergindo.

O Studio SP nasceu nesse contexto e através da parceria com meus amigos e sócios Maurizio Longobardi e Guga Stroeter. A ideia original que levei a eles era de uma espécie centro cultural onde fosse possível fomentar artistas através de residências. De dia, o espaço seria usado para criação e a noite para apresentar os conteúdos gerados. Um imóvel recém liberado na rua Inácio Pereira da Rocha, onde acabara de funcionar o Bop Bistrô — mistura de restaurante e clubinho noturno fruto de uma sociedade entre Guga e Maurizio — estava à disposição e parecia ideal para a empreitada. Em menos de um mês ajeitamos tudo e de forma bastante improvisada nasceu o Studio SP na Vila Madalena, no segundo semestre de 2005. Os primeiros meses de funcionamento da casa eram a prova de que estávamos vivendo o tal momento especial na cidade. O coletivo musical Instituto de Daniel Ganjaman, Tejo Damaceno e Rica Amabis inaugurava seu projeto noturno Seleta Coletiva, que permaneceu gerando noites inesquecíveis por sete anos no Studio SP, sempre sob o comando de Ganja. A credibilidade do produtor em meio à cena emergente da nossa música, imediatamente posicionou a noite do Instituto e, consequentemente, o próprio Studio como um ponto de encontro de novos artistas, promotores, jornalistas e aficionados por música. Foi na Seleta que surgiu a noção de uma cena se formando, com noites muito fortes tanto do ponto de vista artístico, como comportamental e que ajudaram a moldar as características da nova geração musical da cidade.

Diante da ausência de casas e palcos como aqueles abertos para música ao vivo autoral da nova geração, os artistas se apropriavam do espaço, mesmo com as deficiências técnicas naturais de um projeto feito na raça e demostravam muita paixão e liberdade. Nasceu ali uma consciência de que havendo a excelência artística — que sem dúvida é o mais raro de acontecer, o resto poderia se resolver, correr atrás, construir coletivamente. A Seleta também inaugurou as tantas noites com bandas pernambucanas da casa e iniciou uma tradição da Vila Madalena, com o esquenta na Mercearia São Pedro e a noitada no Studio. Foram, aliás, as Seletas da Vila que empurraram os shows para a madrugada, coisa que perdurou por toda a história do Studio SP. O público demorava a chegar por conta dos esquentas animados. A primeira super lotação aconteceu com o Turbo Trio comandado por B. Negão.

Outro coletivo, que se destaca por suas intervenções e pelo ativismo até hoje, a Bijari, fazia noites de áudio visual. Eram montados telões no palco da casa e articulados os provocadores vídeos do coletivo com performances musicais, com predominância de música eletrônica. O projeto se transformou em um ponto de encontro de muitas figuras que desenvolveram atividades relacionadas ao vídeo ativismo e posteriormente o mídia ativismo. Uma marca daquele ambiente foi inaugurada nessas noites: projeções sobre um tecido transparente que ficava posicionado no meio do salão principal do Studio. A casa abriu totalmente limpa, com tijolos aparentes pintados de branco e a proposta era que os artistas fizessem intervenções e ocupassem o imóvel. Grupos que reuniram grafiteiros e artistas urbanos como a Grafiteria e ao Choque Cultural, logo tomaram as paredes. Em pouco tempo era possível identificar obras de Titi Freak, Speto, Carlos Dias, Rodrigo Chã, Jay, Pinky Wainer, Juneca, MZK, Zezão, Paulo Ito, Paulo Arms, Rita Wainer, Iwald Granato, Guid, Crespo, Mathiza e tantos outros pela casa. A maioria das vezes essas ações artísticas aconteciam de forma organizada através de projetos como o ShapeArte organizado em conjunto com a revista *CemporcentoSKATE* de Alexandre Vianna e que estimulava a arte de diversos artistas sobre *shapes* de skate. Outra exposição que literalmente deixou marcas foi a Las Tablas, dessa vez sobre pranchas de *surf*, organizada em parceria com a marca de *surfwear* Volcom e produzida pela promoter Carol Pink. Mas ao longo do tempo, muita arte espontânea surgiu pela parede, especialmente na forma de *stikers* e *tags* desenhados por canetões.

Em meio a tudo isso, Lucio Ribeiro iniciou um projeto que também perdurou anos no Studio, a noite Rockload, inspirada no seu *blog* Popload. A ideia era aproximar as bandas de rock da cena emergente da nova música brasileira e mostrar a diversidade do que estava emergindo na cidade. Lúcio mantinha na época uma coluna na *Folha de S. Paulo* que foi importante para posicionar e divulgar todas essas novas bandas roqueiras. Os *sets* que Lucio fazia nas noites Rockload ainda na Vila Madalena sempre apresentavam as novidades da nova cena do indie rock mundial e inspiraram muitos outros DJs que estavam iniciando no ofício. Para iniciar o projeto, Lucio escalou a recém criada Cansei de

Ser Sexy, antes da viagem internacional que consagrou a banda. Em uma temporada na casa de quatro sextas-feiras, muitos formadores de opiniões e jornalistas puderam entrar em contato pela primeira vez com Luisa LoveFoxx e toda trupe. Um show marcante daquela época foi quando o Bonde do Rolê, ainda com Marina Gasolina nos vocais, tocou junto com o CSS em uma performance radical. Marina se enrolou em plástico bolha no palco e quase se sufocou. Outra banda que representou esse começo da verve roqueira da casa foi o Jumbo Elektro, comandando por Tatá Aeroplano, que fez performances inesquecíveis no sobrado da Vila. Foi nesse ambiente da Rockload que Helio Flanders e o Vanguart também iniciaram uma parceria longa e duradoura com o Studio SP. O primeiro show da banda foi um dos mais lotados daquele período.

Para além da música, um projeto se destacou. Inspirado no título do livro *Trilogia Suja de Havana*, do escritor cubano Pedro Juan Guitiérrez que fazia muito sucesso na época, surgiu a ideia de um encontro literário capitaneado por Xico Sá, Clara Averbuck e Alex Antunes. O projeto "Trilogia Suja de Sampa" era dedicado à poesia marginal e *underground* e conseguiu reunir no ambiente efervescente do Studio SP também a cena literária da cidade. Foi uma noite que exerceu uma função de chancela intelectual da casa, aproximou escritores e críticos literários das cenas musicais emergentes e moldou o tipo de público do Studio SP naquele início.

O nome Studio SP nasceu inspirado no estúdio de música que Guga mantinha nos fundos da casa. No projeto original, novas bandas, cantoras e cantores poderiam utilizar o espaço para gravar seus discos. Entretanto, com a impressionante demanda por ocupação do palco da casa por inúmeros projetos musicais, tanto a proposta do estúdio de música, como a do próprio funcionamento do espaço multidisciplinar como havia sido imaginado, acabaram sendo sobrepostas. A carência de espaços para a música ao vivo autoral de São Paulo naquele momento transformou o Studio SP em uma referência para quem queria mostrar o trabalho para uma audiência atenta. Rapidamente as diversas áreas artísticas que desenvolviam suas atividades por lá passaram a compor seus projetos com outros projetos musicais. As outras artes, portanto, se aproximavam da música que acontecia na casa para aproveitar o interesse crescente por aquele ambiente. Assim, o nome Studio foi ganhando outro sentido, que acabou se consolidando ao longo do tempo e marcando a história da casa. Éramos uma casa de shows e como tal tivemos a honra de participar de alguma forma, direta ou indiretamente, sendo o palco inicial ou um espaço para formação de público, do início ou da consolidação da carreira de muitos artistas da então nova geração da música brasileira. Maurizio, meu sócio e principal parceiro na construção do Studio, já era um empresário bem sucedido no universo da cultura da cidade e na época tinha o consagrado bar Grazie a Dio, que ficava também na Vila Madalena e se notabilizou por ser um dos espaços responsáveis, juntamente com a Jive de Márcio e Alex Cecci pelo renascimento do samba-rock. O Grazie também abria espaço para os novos artistas e na época em que resolvemos criar o Studio SP, Maurizio mantinha bravamente — muitas vezes sem muito público — as noites de segundas feiras dedicadas para os novíssimos talentos da música. A curadoria dessa noite era feita pela jornalista Fernanda Couto, que aos poucos se tornaria uma das maiores especialistas dessa nova geração musical que surgia. Quando abrimos o Studio, essa noite incerta de segunda no Grazie a Dio se transformou no foco principal da casa e Fernanda nossa assessora de imprensa.

O imóvel da Vila era um sobrado que já tinha sido adaptado para servir ao Bop Bistrô. No segundo andar existia uma ampla varanda com vista para todo o bairro. Nesse espaço, ao lado do bar, montamos um pequeno palco, para shows menores de artistas que ainda não tinham muito público ou que buscavam lançar suas carreiras. Colocamos algumas mesas na frente desse palco e assim configurou-se uma área bastante agradável para se ouvir música. Guga, que na época já era um músico respeitadíssimo, foi o idealizador e primeiro curador desses shows na varanda voltados para os novos talentos. Foi ele que criou o nome para o projeto que teve sua importância na carreira de muita gente. O Cedo e Sentado foi palco inicial, ainda na Vila, de nomes como Tiê, Tulipa Ruiz, Mallu Magalhães, Karina Buhr, Thiago Petit, Dudu Tsuda, Nina Becker, Romulo Froes, Barbara Eugênia, Marcelo Janeci, Blue Bell, Bruna Karan, entre tantos outros, além de projetos paralelos de bandas um pouco mais conhecidas na época, que frequentavam constantemente o palco principal da casa. O Cedo e Sentado foi uma marca e na Rua Augusta se consolidou como o grande espaço de lançamento de novos artistas. Seus outros curadores além de Guga, foram a própria Fernanda Couto, o jornalista Ronaldo Evangelista e o músico Rômulo Froes.

Com dois anos e meio de existência na Vila Madalena, o Studio SP constituiu uma verdadeira cena capitaneada pelos artistas que frequentavam a casa. Músicos, agentes, técnicos de som, *roldies*, jornalistas dos cadernos de cultura, promotores especializados em shows, artistas plásticos que tinham obras pelas paredes da casa, companhias de teatro que faziam festas para arrecadar fundos, cineastas que lançavam seus filmes por lá, DJs que se acostumaram tocar antes e depois daqueles shows que a casa promovia, e um público muito fiel e interessado na ideia de curtir a noite com foco na cultura que estava se fazendo. Claro que existia diversão, e muita, mas o produto principal da casa, era e continuou sendo o que acontecia naquele palco.

Portanto, quando Maurizio veio com a ideia de transferirmos o Studio SP para um galpão que ele tinha achado na Rua Augusta, em busca de melhores condições técnicas para os shows e mais conforto para a plateia, não se tratava apenas de uma mudança de endereço de uma casa, mas da transferência do ponto de encontro de uma cena muito vibrante e promissora da música brasileira para a rua que se mostrava mais vibrante e promissora da cidade. A decisão foi rápida, fizemos a obra do galpão da Augusta em dois meses e o que estava por acontecer ali foi construído não apenas por nós sócios da casa, mas por todo esse universo de pessoas que mencionei. Contamos com a ajuda decisiva de Daniel Ganjaman e seu pai, Seu Cláudio Takara — líder do respeitado clã do estúdio de música El Rocha — que foram ao galpão para nos ajudar a instalar e posicionar o som. Durante a obra, esse tipo de auxílio precioso se tornou usual. Os artistas residentes passaram por lá para conhecer e dar palpites. Onde vai ficar a mesa do DJ, qual a largura da boca de cena, como vai se dar a passagem entre camarim e palco. O projeto chegou a ser redesenhado algumas vezes para tentar contemplar as ideias que surgiam. Os novos artistas que despontavam no Cedo e Sentado, diante do espaço para 500 pessoas, já vislumbravam o processo de formação de público que aquela casa naquele lugar poderia gerar. O artista plástico Rodrigo Chã capitaneou vários outros que enveloparam as paredes com lambe-lambes em tons claros, para ampliar a visibilidade do que tínhamos lá dentro, um palco largo e baixo, centralizado e na parede oposta degraus de uma pequena arquibancada, o que permitia que quem estivesse no palco fosse praticamente abraçado pelo público, em um projeto muito bonito do arquiteto italiano, Enrico Benedetti.

Estávamos prontos para rumar para o centro e num sábado Mauricio Takara, tocou com seu SP Underground na Vila Madalena para na quinta seguinte, a banda Eddie, inaugurar o palco da Rua Augusta. O nome do projeto do Mauricio era perfeito para simbolizar aquela mudança. Sair da Vila Madalena para a Rua Augusta naquela época era sem dúvida dar um salto rumo a São Paulo *underground*. A inauguração foi muito concorrida e calculamos que por volta de duas mil pessoas circularam pelo galpão. A sensação era que todo mundo que transitava pelo ambiente da cena da música queria estar lá para ver o que aconteceria com o encontro do Studio SP com a Rua Augusta. Fomos muito bem recebidos por quem já estava agitando a região e as presenças de Facundo, Magno Azevedo do Sarajevo, Zé Carlos do Outs e tantos outros empresários da área representaram isso. O quarteirão que ocupamos na Augusta ainda era bem ermo e não tinha ainda a vibração das quadras de cima, onde ficavam o Vegas e as casas de massagens e saunas mais famosas. Tínhamos um certo receio de que as gangues de *skin heads* que andavam pela área, espantassem aquele público aficionado por música. Mas, nossa primeira noite aberta depois da festa de inauguração, nos deu certeza da importância do nosso projeto. Quando eu e Maurizio descemos a rua em direção ao Studio, pudemos ver de longe a enorme fila para entrar na casa. O show era de uma banda que muito bem representava o tipo de proposta que estávamos apresentando: com o som autoral, o virtuosismo de seus músicos a Augusta vibrou com o grupo cearense Cidadão Instigado naquele sábado.

Independente do sucesso que a casa conquistou em muitos shows lotados e concorridos, o Studio SP nunca se distanciou de sua proposta de ser uma plataforma de lançamentos da nova cena musical. Como vimos desde seu início na Vila, a noite Instituto e a Seleta Coletiva desde sempre agitou a cena e apresentou muitos nomes como Emicida,

Thalma de Freitas, Hurtmold, Curumim, Metá Metá, Rodrigo Campos, Kamau, Rodrigo Brandão, Kiko Dinucci, Lurdes da Luz, Mão de Oito, Flora Mattos, Gaspar e Funk Buia. O projeto culminou com o shows preparatórios do repertório de Criolo, artista que se apresentou algumas vezes na casa. Inesquecível a primeira vez que ele cantou *Não existe amor em SP* no palco do Studio. Antes dessa noite, Daniel Ganjaman contava animado no camarim, em uma das Seletas, que estava trabalhando com um artista que simbolizaria toda a história e acúmulo das noites do Instituto e a excelência e a diversidade musical representadas ali. Quando todos escutamos o som de Criolo, tivemos uma sensação boa de realização. Claro que a conquista era dele, de seu talento, e daqueles que o cercavam no palco, mas todos os nossos anos de trabalho foram muito bem representados quando esse grande artista surgiu e se consolidou. Esse sentimento não aconteceu apenas com o Criolo, mas com todos os artistas que obtiveram algum reconhecimento nacional e que passaram pelo palco do Studio.

O projeto Studio SP Apresenta lançou artistas e discos importantes, com destaques para a Céu, Cidadão Instigado, Vanguart, B. Negão e Turbo Trio, Cibelle, Cérebro Eletrônico e Tatá Aeroplano. O lançamento do primeiro disco da Céu, aliás, foi o que colocou o Studio no mapa da grande imprensa e da produção cultural nacional. A presença de uma quantidade enorme de jornalistas, produtores e formadores de opinião, nas quatro segundas-feiras lotadas do lançamento, foram marcantes. Através dessa grande cantora, muita gente estabeleceu contato com a casa em shows antológicos, onde os presentes cantavam as novidades da artista como se já fossem clássicos. O verso "Menino Bonito, Menino Bonito ai..." ecoou em uníssono logo nas primeiras vezes que bela canção Malemolência foi cantada na casa.

Tatá Aeroplano, além de cantor, compositor e *band* líder, foi também o grande residente das *pick ups*, nas noites que se estendiam pelas madrugadas da Augusta. Outro DJ símbolo do Studio foi Miss Má, que assumia a pista nas noites que flertavam mais com o rock desde a Rockload. A casa articulou também vários de seus residentes para prestar tributos às bandas e artistas que os influenciaram. Foi depois de um show do Mombojó no Studio que soubemos no camarim do início do projeto que reunia a banda e o cantor China homenageando Roberto e Erasmo Carlos, que gerou a clássica noite do Del Rey no Studio. Outras noites importantes também aconteceram de repente, de papos informais que viraram tentativas de projetos e que depois permaneceram por anos. O projeto Heroes de André Frateschi homenageando David Bowie, aconteceu pela primeira vez em uma noite especial na casa, onde o pai de André, o ator Celso Frateschi representou Ricardo Coração de Leão entre uma música e outra do camaleão do rock. Foi André, aliás, que depois do sucesso do Heroes, sugeriu que sua então namorada e *backing vocal*, Miranda Kassin, fizesse o badalado tributo à Amy Winehouse e outras grandes cantoras do gênero. Depois de um show de Vitor Araujo surgiu a ideia de viabilizar a noite do projeto Seu Chico que ele fazia com seu irmão Tibério Azul em homenagem a Chico Buarque. E no camarim da casa, entre uma cerveja e outra, e com a ideia de buscar sustentabilidade para uma banda eminentemente autoral, nasceu o *Vangbeats* do Vanguart com releituras de clássicos dos Beatles. A ideia de que artistas que trilhavam o caminho autoral fizessem também tributos com maior apelo de público, para compor o orçamento no final do mês, está totalmente atrelada à uma dimensão econômica que era permanente discutida no camarim. Formas alternativas de gerar receita para os artistas sempre foram uma preocupação do Studio SP. Sem artistas remunerados não existiria dedicação exclusiva à música e sem isso o crescimento da cena musical ficaria comprometido.

A Invasão Sueca, em parceria com o festival No Ar Coquetel Molotov da produtora Ana Garcia foi um projeto desbravador de uma nova fase de shows internacionais em clubes e casas noturnas. Ao longo de três edições trouxe pela primeira vez ao Brasil nomes como Peter Bjorn and John, Erlend Oye e Jens Lekman. O show de Peter Bjorn and Jonh que transbordou a casa na Augusta foi agendado antes da banda fechar com Kanie West a abertura dos shows da nova turnê do astro, o que deu à banda uma projeção mundial. Era quase inacreditável que a música *Young Folks*, àquela altura um *hit* internacional, estava tocando ao vivo numa casa com apenas 500 pessoas de capacidade, sendo que a banda poderia estar fazendo seu show para milhares de pessoas. Pilotado com o produtor Marcos Boffa, o projeto Folk-se abrigou na casa a cena do novo *folk* americano e trouxe também pela primeira vez ao Brasil nomes como Bonnie Prince Billy, Brigth Eyes e Bill Callahan, também conhecido como Smog. Novamente a sensação de se conectar com movimentos internacionais da música independente aconteceu. Quando o vocalista do Bright Eyes Conor Oberst dedilhou os acordes de *First Day of my Life*, o *hit* da banda já alcançava milhões de visualizações nas redes. O introspectivo Bonnie Prince Billy ficou chocado com a agitação da Rua Augusta, em especial com a curiosidade que sua trança na barba despertou das moças que faziam ponto na rua.

A noite mensal O Bloco, que tinha Simoninha como residente também promoveu grandes momentos e um dos mais marcante foi a estreia de Maria Gadú no palco da casa, um pouco antes dela explodir no Brasil todo. Gadú ainda era relativamente desconhecida quando fez esse show e impressionou demais todos os presentes. Outro momento especial do projeto foi quando o grande e saudoso sambista Almir Guineto fez participação especial, fazendo a casa da música independente cantar os versos de músicas super populares como Conselho e Caxambú. A noite O Bloco, além dos shows revelou Fernando Tubarão como um excelente produtor, o que depois se comprovou com sua própria casa, o Puxadinho da Praça na Vila Madalena. Destaque também para Studio SP Incentiva, coordenado pelas atrizes Carolina Mânica e Luciana Caruso, que destinou rendas de shows e festas para fomento da produção de cinema e teatro, entre elas para produções de Mário Bortolotto e Beto Brant. Projetos criados para valorização da música e arte de rua, atividades circenses e performances, o Cabaré Volátil e o Incrível Show de Talentos tiveram apresentações dos atores Julinho Andrade e Tainá Muller, da apresentadora Titi Muller, além do acrobata Lú Mineiro e as bandas Vaudeville e Mustaches e os Apaches.

Nomes como Otto, Junio Barreto, Davi Moraes, Plinio Profeta, Macaco Bong, Lucas Santtana, Maquinado, Guizado, Jupiter Maçã, 3 na Massa, Diz Maia, Gaby Amarantos tiverem histórias ricas e momentos marcantes no Studio SP. Outros artistas internacionais como Friendly Fires, John Spencer, Camera Obscura, Adrian Sherwood, Diplo, Wax Poetics, Four Tet, Kode 9, Gilles Peterson, Daedalus, Love Trio, Hell on Whells, Tortured Soul, Eigth Legs, Daevid Allen e Gong Global Family, Gruff

Rhyms, The Gift e Faraquet também passaram pelo palco da casa. O palco das novidades no meio da Augusta chamou atenção de grandes nomes da MPB, que perceberam o movimento criativo de uma geração emergente de artistas e se dispuseram a beber nessa fonte. Moraes Moreira, Alceu Valença, Ney Matogrosso, Wilson das Neves, Almir Guineto, Tom Zé, Arnaldo Antunes, Nasi, Edgard Scandurra, Nação Zumbi através dos seus diferentes projetos paralelos, Mano Brown e Racionais MC's, Orquestra Imperial, Fred Zero Quatro e Mundo Livre S/A foram alguns desses nomes que fizeram um ou mais shows no Studio. Caetano Veloso cogitou lançar seu disco *Zie Zie* por lá, ideia amplamente divulgada em entrevista do cantor e compositor. Mesmo não acontecendo o lançamento, Caetano passou pela casa algumas vezes e sempre foi um grande entusiasta e incentivador do projeto.

A chegada do Studio SP e sua cena na Rua Augusta, solidificou o processo que já vinha sendo estruturado pelo Vegas e as outras casas que surgiram na região. A partir de 2008 a Augusta ampliou ainda mais sua diversidade. Na cena noturna, foram surgindo ao longo do tempo espaços importantes e que compunham a paisagem urbana e o caldo cultural da cidade. Foi exatamente nesse período que a expressão "Baixa Augusta", se transformou em "Baixo Augusta" em diversas mídias que anunciavam o bairro mais agitado de São Paulo. Além de todos aqueles negócios que ferviam na rua, muitos outros foram surgindo, ou redescobrindo suas vocações diante do enorme movimento de jovens que a região passou a atrair. A partir da esquina da Rua Fernando de Albuquerque, do bar Ibotirama – e da Pizzaria Vitrine e descendo rumo ao centro, com a Lanchonete Taxi Bar, o bilhar do Pescador, e os famosos Ecléticos e Bar do Bahia, todos foram conhecendo um público novo e surfando na onda da agitação. A noite não parava de crescer. Um dos locais mais marcantes da época foi o Bar do Netão que era um boteco de rua como tantos outros, mas que a partir de 2008 começou a receber novas festas que buscavam alternativas aos clubes fechados e queriam um caráter mais democrático e aberto. Os destaques foram a Voodohop e a Posh!. As noitadas lotavam as calçadas, invadiam parte da rua, transformando o local em uma das mais importantes referências do Baixo Augusta. O bar do Netão foi um dos pontos onde se manifestou o embrião de um movimento libertário de festas de ocupação das ruas e dos espaços públicos, que tomaria conta da cidade algum tempo depois. No período surgiram outros espaços como o primeiro Z Carniceria também de Facundo e Tibira e o Astronete, de Claudio Meduza, que se transformou em um dos mais queridos clubes de rock da cidade, primeiro na rua Matias Aires e depois própria Augusta. Adriana Recchi, Vivi Fleshbaum e Gigio Wornicow com a ajuda de Alex Atala abriram o Beat Club, também dedicado ao rock e à celebração da cultura *beatnik*.

Algum tempo depois eu e meus sócios aproveitamos a oportunidade de um enorme galpão colado no Studio SP e nos aventuramos em abrir uma casa de shows maior, dessa vez para 800 pessoas. O Comitê Clube teve shows importantes, mas durou pouco pela complexidade da operação de administrar duas casas vizinhas com programações concomitantes. Entretanto, o imóvel foi passado para o Beco, clube de Porto Alegre que migrou para São Paulo para também viver a intensidade da rua. A região começou a atrair também empresários já bem sucedido da noite da cidade como Andre Almada, dono do tradicional *club* The Week Internacional, que veio para a região com seu novo The Society e os sócios do Clash Club, André Barcinski, Bruno Ferraro, Gabriel Giarsia e Sergio Godoy, que abriram o Lab Club, com ênfase na música eletrônica. O mesmo grupo ainda abriu outros empreendimentos na região como a lanchonete Rock Burger.

Outro ponto super agitado da área ficava na rua Bela Cintra. Lá, uma das casas mais simpáticas da cidade, também investia no rock desde o início do processo que culminou com o Baixo Augusta. A Funhouse do empresário Eduardo Azevedo atraiu um nicho noturno fiel em torno dela. O próprio Eduardo abriu do outro lado da rua o bar Exquisito, dedicado à cervejas e tapas latino americanos, e Maurizio, juntamente com outro experiente empresário da noite Marcelo Bassarani, restaurou um antigo casarão para abrir o lindo restaurante e bar Geni. Logo ao lado, naquele mesmo trecho da Bela Cintra, o empresário Alê Natacci capitaneou seus sócios para abrir o Sonique, clube mais bonito e estiloso não apenas do Baixo Augusta, mas provavelmente de toda a cidade. O projeto do bar, uma caixa de blocos de concreto aparente com *neons* sobrepostos à molduras de gesso que formavam desenhos nas paredes foi um dos primeiros grandes projetos assinados pelos prestigiados arquitetos do escritório Tryptique e referência estética para publicações de arquitetura e design em todo o mundo. O Sonique não trouxe apenas sofisticação ao bairro, mas também esteve vinculado, especialmente pela atuação de Alê Natacci, diretamente com a criação de um dos maiores símbolos da região, o Bloco Carnavalesco Acadêmicos do Baixo Augusta, como veremos em seguida. Além de todas essas opções de bares e casas noturnas, alguns dos mais concorridos restaurantes de São Paulo estavam na esquina da Bela Cintra com a Rua Fernando de Albuquerque como os tradicionais Mestiço, Tordesilhas e o La Tartine, que sempre foram ótimos lugares para se começar a jornada noturna pelo Baixo.

O comércio também aproveitava o movimento. A padaria Augusta Bakery e o restaurante Athenas e muitas lojinhas foram surgindo tanto nas ruas da região como nas pequenas galerias – um exemplo era a Le Village, onde ficava a Spokers, loja voltada para o também emergente movimento de ciclismo da cidade. Outro exemplo inovador de empreendimento, que se conectava com a ideia do colaborativismo que aparecia com força naquele momento e influenciava todos os tipo de relação, era a Endossa, a loja colaborativa da Rua Augusta que abriu espaço para novos artistas – especialmente novos designers e estilistas – para vender suas produções, através de boxes ou prateleiras dentro da loja. A experiência gerou outros negócios do tipo e passou a ser uma marca da região. Tudo estava conectado com uma cidade que buscava transformação e os movimentos alternativos se encontravam ali. Um efeito colateral positivo de toda a agitação foi o renascimento ou a redescoberta de alguns pontos super tradicionais e que andavam meio esquecidos. A lanchonete Frevinho – filial da Augusta centro do Frevo – foi ponto de encontro da juventude desde os primórdios da ocupação da rua e apesar de sempre se manter como referência entre os anos 80 e 2000, especialmente para os frequentadores dos cinemas da região, foi totalmente reformada depois que passou a receber também o movimento da juventude do Baixo Augusta. A Bologna, *rotisserie* fundada em 1925 e famosa pelo seu frango assado e pela coxa creme, sofria demais com a deterioração da rua, mas se reergueu com uma ampla reforma impulsionada também pela nova movimentação. Outro ponto redescoberto foi o tradicional restaurante Piolin, que passou por três imóveis diferentes até ocupar o mesmo local do histórico Spazio Pirandello. Os frequentadores iam de artistas do teatro alternativo da Praça Roosevelt aos roqueiros que frequentavam as casas de show da área. Muitos dos almoços e papos entre proprietários de empreendimentos da região sobre a cidade e a ocupação que se pretendia fazer nela, aconteciam no Piolin, o que não deixava de ser uma coincidência histórica em relembrar ao que acontecia no mesmo imóvel nos anos 80.

Uma das forças do Studio SP era a conexão de seus frequentadores assíduos com o movimento teatral que acontecia na praça Roosevelt. Esse vínculo trouxe uma unidade à ideia do Baixo Augusta como um todo que incluía a praça, que já estava sendo transformada pela força da arte, muito antes do novo processo de agitação da vida noturna tomar conta da região. Depois do período de ouro da Roosevelt conectado à excelência da música, houve um longo processo de decadência e degradação, onde a estrutura da praça de muito concreto e quase nada de verde, com seus espaços subterrâneos escuros, colaboravam decisivamente. Quem verdadeiramente salvou a Roosevelt da deterioração foram as companhias de Teatro que iniciaram seus processos criativos nos imóveis desvalorizados da praça de então, especialmente aqueles que eram usados por cinemas no passado. A primeira companhia de teatro a ocupar o local foi a trupe do Teatro de Câmara de São Paulo, ainda em 1995, bem antes da densidade e agitação necessária para conseguir algum tipo de mudança substantiva na praça. Mas o movimento de transformação do espaço começou de fato quando o teatro do grupo Os Sátyros, liderado por Ivam Cabral e Rodolfo Vazquez chegou a praça em 2000 e disputou heroicamente o espaço público com traficantes e frequentadores que não estavam necessariamente preocupados com a arte produzida ali. O processo paulatino de transformação foi ganhando força à medida que a praça lentamente mudava suas características urbanas, com intervenções esporádicas do poder público. Com a chegada do grupo Parlapatões, de Hugo Possolo e Raul Barreto, criou-se a espinha dorsal criativa que reergueu a Roosevelt, com outros espaços compondo esse ambiente artístico e colaborando com esse processo, como o Teatro Studio Helena Guariba – antigo Studio 184 –, o Teatro do Ator e o Miniteatro. Eram centenas de peças protagonizadas por uma cena artística muito ativa tanto nos palcos, como na boemia da região e o Studio SP sempre foi um ponto de encontro desse universo, não apenas nas suas noites dedicadas a arrecadar recursos para viabilizar peças que aconteciam nos teatros da praça, mas na frequência dessa cena artística em muitos dos shows da casa.

O maior símbolo da transformação dessa nova Roosevelt que se formou em torno do teatro é o festival Satyrianas, organizado pelo Os Satyros e demais companhias da região e que acontece anualmente na praça e em diversos outros espaços públicos e privados da cidade, reunindo peças de teatro, performances, shows e outras manifestações artísticas ao longo de 72 horas ininterruptas de arte. Até 2016 já haviam ocorrido dezessete edições do festival que simboliza a vitalidade e a diversidade daquele ambiente que os grupos de teatro transformaram. Em 2017, o festival na Praça foi proibido, como relatamos aqui. Em 2018, com Bruno Covas assumindo a Prefeitura, o pedido dos grupos do bairro foi atendido, e o festival voltou para a Praça. A Satyrianas é um momento de encontro de toda a cena teatral alternativa da cidade e teve impacto fundamental para a ideia do Baixo Augusta enquanto espaço de liberdade e de diversidade. O festival reuniu desde suas primeiras edições e bem antes da Rua Augusta lotar com a nova geração, muita gente nas ruas e nos bares do entorno da praça, relembrando a vocação da rua e apontando para um futuro agitado e efervescente. Assim como a crônica de Caio Fernando Abreu nos aponta a origem do nome, a Satyrianas nos mostrou muito antes, a origem do tipo de ocupação urbana que aconteceu no bairro.

Assim como ocorreu com o Vegas, os funcionários do Studio SP se confundiam com a Augusta. A linda *hostess* da casa, Taty Alves, com seu visual exótico de tranças louras chamava a atenção de todos que passavam por lá. Outro símbolo era o famoso Will, porteiro do Studio, uma das pessoas mais carismáticas do Baixo Augusta. Dentro da casa, sempre era possível encontrar Mauricio Garcia, cuja experiência tanto em eventos privados, como em grandes eventos públicos, o transformou em um dos melhores e mais completos produtores da cidade. Mau, como era conhecido, além de gerente foi também o responsável pela programação do Studio SP, função que também seria exercida pela minha irmã Roberta Youssef, que algum tempo depois coordenaria a parte artística do grupo Vegas e se consolidaria como uma grande agitadora da cultura contemporânea e personagem de destaque da noite da cidade.

Desde o fechamento do Studio SP nomes como o de Criolo e Emicida foram reconhecidos por todo Brasil, assim como Mallu Magalhães que depois ainda lançou um trabalho e ampla repercussão ao lado de seu marido Marcelo Camelo – a Banda do Mar. Tiê se consagrou com uma música que virou *hit* nacional e tocou em todos os cantos do país, Tulipa Ruiz ganhou o Emmy internacional por seu disco *Dancê*, André Frateschi venceu o programa "Pop Star" da TV Globo e assumiu os vocais da lendária Legião Urbana, e a Céu também ganhou Emmys e rodou o mundo com seu estilo sempre inovador. Quantas outras "pratas da casa", que frequentavam o palco e o camarim da Rua Augusta, 591 não vão ocupar o merecido local de destaque e dar ainda mais consistência ao trabalho desse registro histórico? Max Gordon, fundador do legendário Village Vanguard em Nova York disse em seu livro *Live at Village Vanguard* publicado no cinquentenário da casa, que depois de algum tempo à frente de uma casa noturna, você descobre que ela ganha vida própria. Você começa, coloca suas ideias, suas esperanças e seus sonhos, mas como uma filha, ela logo segue um rumo próprio. No Vanguard ele percebeu isso ao longo da trajetória que foi de bar de poetas beatnicks durante lei seca americana – muito antes de Sally Banes e as aventuras pela *MacDougal Street* – passando pelo palco de *stand ups* de geniais comediantes até se tornar a meca do jazz. Apesar de ser impossível qualquer comparação ao tradicional Village Vanguard, confesso que senti no Studio SP esse processo de vida própria de uma casa que conseguiu abrigar tantas expressões mesmo em um curto espaço de tempo. Foi assim que ela se transformou em uma das plataformas de lançamentos da música brasileira, sem ter sido planejada com esse nível de ambição e desejo.

Ir ao Baixo Augusta na época em quem muitos lugares importantes estavam abertos simultaneamente era poder curtir o que chamávamos de "noite completa", começando em alguma das peças da Roosevelt e na cerveja no Parlapatões, emendando num jantar no La Tartine, Mestiço ou em alguma das opções dentre as centenas de restaurantes e bares da área, para, logo depois, cair em um show do Studio SP. Ao final, passar pelo bar do Netão para ver a agitação na rua e ainda esticar em algumas das noites do Vegas, com direito a uma extensão na alta madrugada ao Ecléticos ou no bar do Bahia. A efervescência da região era tanta que logo as calçadas já não eram capazes de suportar tanta movimentação e aos poucos o público foi tendo que invadir a rua e dividir espaço com os carros para poder se locomover, em um gesto intuitivo e simbólico do que estaria por vir. Foi nessa época que produtores e empresários da região, juntamente com moradores e entusiastas daquele ambiente, tiveram uma ideia que marcaria definitivamente o bairro e seria estratégica para a consolidação da marca "Baixo Augusta". O Bloco Acadêmicos do Baixo Augusta representou muito bem a batalha pela ocupação da rua pelas pessoas – o que seria uma grande questão da cidade – e teve impacto importante não apenas na região, como em todo o carnaval de rua de São Paulo.

A CIDADE É NOSSA

Em um final de semana de agosto de 2009, alguns empresários, artistas, empreendedores e frequentadores do Baixo Augusta foram convidados para um casamento em Paraty de um casal muito querido e que juntava uma turma muito animada. Ao longo do papo regado a *drinks* e cervejas surgiu a constatação sobre a força da cultura alternativa presente no bairro, a lotação cada vez maior e como as calçadas da Rua Augusta tinham se transformado numa verdadeira praia paulistana. Ao imaginarmos estratégicas de como estender aquela agitação para o meio da rua, ou seja, ocupar o lugar dos carros e dos engarrafamentos com as pessoas que frequentavam a região, surgiu a ideia: por que não criávamos um bloco de carnaval em São Paulo? Seria uma coisa inusitada, afinal de contas, há anos não se ouvia falar em carnaval de rua na cidade. Tínhamos motivos para celebrar, pois exista um processo de transformação artística da região que todos naquela mesa frequentavam e era muito animadora a ideia de valorizar a incrível diversidade que o nosso nicho de boêmia trazia para a cidade de São Paulo. O nome do bloco surgiu de bate pronto: "Baixo Augusta", termo que estava correndo ainda a boca pequena pelos agitadores e jornalistas culturais e que precisava ser oficializado de alguma forma. Pouco depois, incluímos a palavra "Acadêmicos", uma inspiração vinda das escolas de samba tradicionais. Eu estava naquela mesa fundadora juntamente com Marina Person, Leo Madeira, Carol Bueno, Olivier Rafaelli, Greg Busquet, Mariana Kraemer, Alê e Mara Natacci, Luciano Calçolari, Francio de Holanda, Verônica Campos, Alê Lucas, Andrea Siqueira, Ota

Sampaio, Luciana Cardoso, Lele Pereira, Zé Carratú, Claudia Pizzimenti e Flávia Brunetti.

Em meio à brincadeira, Leo Madeira, muito inspirado criou o *slogan* que se tornaria também refrão do hino do bloco. "Apavora mas não assusta, o carnaval do Baixo Augusta". Com algo para se cantar, mesmo sem ritmo ou qualquer organização, a turma resolveu fazer um primeiro desfile. Como chovia muito em Paraty, todos estavam com guarda chuvas que serviram como nossas primeiras alegorias. O trajeto do primeiro desfile do bloco foi inusitado para quem estava acostumado com a Augusta. Pelas famosas pedras de Paraty, caminhamos cantando até o hotel onde os noivos descansavam para o grande dia. Ficamos uns 30 minutos gritando o "Apavora mas não assusta" em frente do casarão colonial, até que as janelas se abriram e os noivos Guilhaume Sibaud e Sandra Soares, surgiram sem entender nada. Estava oficializado naquele momento, com as bênçãos do casal que reuniu toda aquela turma ali, o bloco Acadêmicos do Baixo Augusta.

Depois do fim de semana do casamento, a ideia do bloco não foi esquecida. Começamos a nos reunir para imaginar como seria a aventura de fazer um bloco em uma cidade que simplesmente tinha esquecido do carnaval de rua. Primeiro decidimos que nosso desfile seria no pré-carnaval, pois na época não existia o hábito de ficar na cidade durante o carnaval, e para envolver o máximo de moradores e frequentadores do Baixo Augusta, a estratégia foi marcar a festa para o domingo anterior ao reinado de Momo. Logo depois, Alexandre Lucas envolveu no processo seu parceiro de agência, o diretor de arte Felipe Cama que criou a marca do bloco: uma caveira, com óculos estilo *ray-ban*, cartola e o *slogan* "Apavora mas não assusta". Paralelamente, Leo elaborou os versos do que seria um samba enredo que lapidamos para chegarmos a uma letra capaz de colar na cabeça de todos. O produtor carioca Plinio Profeta, entusiasta da ideia, juntamente com o compositor especialista em marchinhas Edu Krieger, fizeram a música e a melodia para aquela letra. Wilson Simoninha — que na época fazia uma noite de samba fixa no Studio SP, topou ser o intérprete e puxador do bloco. Com as bases feitas por Plinio e Edu, Simoninha colocou sua voz e assim estava pronto nosso hino. Depois da música nos dedicamos a criar os rituais do bloco.

Precisávamos de um estandarte e consequentemente de alguém para carregá-lo. Zé Carratú se responsabilizou pela criação e produção do estandarte e convidamos o escritor Marcelo Rubens Paiva, que topou na hora ser o nosso porta estandarte. Marcelo, paulistano da gema, frequentava sempre o Baixo Augusta, gostava da boemia e estava totalmente conectado com os símbolos de liberdade e diversidade da região que queríamos homenagear. Para ser a primeira madrinha do bloco, convidamos a atriz Mariza Orth, também paulistana e muito conectada com a cidade e com a cena alternativa e de vanguarda cultural, desde os tempo da sua banda Vexame.

Para facilitar as coisas, imaginamos um trajeto simples, que ligasse as duas casas noturnas representadas na mesa de fundação. Nos concentraríamos dentro do Sonique de Ale Natacci, sairíamos em desfile pela Rua Bela Cintra, desceríamos à direita na Rua Costa e tomaríamos a Rua Augusta até o Studio SP, onde faríamos o encerramento. Em nossa cabeça estava tudo certo e não teríamos problemas para colocar em prática uma ideia tão bacana, que representava uma homenagem ao bairro, com música e entretenimento de graça para as pessoas, em um domingo. Ledo engano: ali começava um verdadeiro calvário de embates com o poder público que marcou a história do nosso bloco, despertou a veia ativista do mesmo e foi decisivo para os rumos que a brincadeira de amigos tomaria. Lembro da cara de desprezo e da falta de atenção da funcionária da Subprefeitura da Sé, quando tentamos conseguir a autorização para esse pequeno desfile. "Carnaval de rua em São Paulo? Por que vocês não vão para Salvador que é muito melhor?", foi a frase da burocracia diante da nossa ideia. Foram dias em idas e vindas para reuniões improdutivas, protocolos dos mais diversos tipos de documentos em órgãos públicos que não se comunicavam entre si, para enfim conseguirmos uma autorização para desfilar pelas calçadas — isso mesmo, pelas calçadas! — do percurso imaginado. Era tudo tão inacreditável e parecia que processo burocrático tinha sido feito para os cidadãos desistirem de tentar fazer qualquer coisa do tipo.

No dia do desfile, já no esquenta que organizamos antes do bloco dentro do Sonique, sentimos que a ideia tinha agradado, pois não parava de chegar gente. Rapidamente o bar estava lotado e a rua Bela

Cintra tomada. Na minha cabeça teríamos que seguir o previsto e autorizado, ou seja, sairíamos do Sonique, viraríamos à direita e pela calçada seguiríamos o tal carro de som. Ao sair e ver a multidão que se concentrava na frente do bar e portanto ocupando a rua, tive uma sensação incrível, um sentimento de ocupação da cidade, algo que se sobrepôs a qualquer planejamento, pelo desejo de todos em estarem ali e se concentrarem de propósito no meio da rua, sem que ninguém tivesse organizado ou orientado nesse sentido. Algumas pessoas me alertaram sobre as reclamações dos motoristas parados no trânsito que já se formava e chegava a informação que a CET estava chamando a polícia para desobstruir a via. Em meio à confusão decidimos que era pela rua que nós desfilaríamos e ninguém iria nos proibir. Simoninha, nosso puxador, se posicionou à frente do pequeno carro de som e pela primeira vez cantou:

> Apavora mas não assusta, o carnaval do Baixo Augusta
> Apavora mas não assusta, o carnaval do Baixo Augusta
> Meu prazer é consumado, quando desço
> da Paulista até a Martinho Prado
> A cultura alternativa da noite paulistana
> achou seu mundo encantado
> Trilegal, arretado, tchoptchuras
> O Baixo é a terra da mistura
> O Baixo é a terra da mistura
> Oh linda...
> Linda, te vejo, vem me dar um beijo
> Augusta, robusta, me gusta, você apavora, mas não assusta
> Apavora mas não assusta, o carnaval do Baixo Augusta
> Apavora mas não assusta, o carnaval do Baixo Augusta

Tomamos a Bela Cintra, a Rua Costa e também a Rua Augusta, e foi ao chegar em frente ao Studio SP – final do nosso percurso – que percebemos o tamanho da encrenca. As quinhentas pessoas que cabiam na casa entraram e muita gente ficou para fora, continuando a festa na rua. Os órgãos públicos enlouqueceram e a Polícia Militar (PM) chegou. Como eu vestia uma camisa do bloco onde estava escrito "Presidente", o sargento não teve qualquer dúvida: "Então o Senhor é o Presidente, responsável por toda essa baderna?". Com minha resposta constrangidamente afirmativa, pois achava que não adianta explicar àquela altura que a palavra "presidente" era uma brincadeira de amigos e tal, ouvi a seguinte pérola do policial: "O Senhor fique ciente que rua é lugar de carro e não de pessoas. O Senhor está detido e vamos conduzi-lo até a Delegacia de Polícia". Já estava entrando no carro da PM, quando dois advogados foliões apareceram. O criminalista Augusto Botelho e a fundadora do bloco, Mara Natacci, usaram toda a habilidade profissional para demonstrar o absurdo que seria minha condução para a delegacia naquelas circunstâncias. Diante das carteiras da OAB e dos argumentos bem colocados, o Sargento recuou, mas exigiu que liberássemos a rua, o que só aconteceu cerca de uma hora depois, porque o povo não queria arredar o pé. Quando entrei no Studio SP, lembro da apresentadora Titi Muller, uma das cúmplices daquela loucura, gritar com emoção "O Alê está livre!". Brincadeiras à parte, iniciar esse capítulo contando toda essa história é interessante para refletir como o Bloco Acadêmicos do Baixo Augusta se tornou o que é hoje em dia. O relato já revela as características que desde o começo estão presentes no bloco e foram sendo alimentadas com o tempo, e que resultaram não apenas na criação do maior bloco de carnaval da cidade, como também na retomada do carnaval de rua e foi parte importante do movimento de direito à cidade que tomou conta de São Paulo e que extrapolou a festa em si e transformou contundentemente as características da cidade. Existia desde a origem o desejo coletivo de uma turma de amigos em construir algo juntos, para celebrar um ponto de encontro em comum a todos e também de alguma forma atuar socialmente, gerando entretenimento, lazer e cultura para as pessoas. Essa ideia de construção coletiva é sempre muito poderosa e quando encontra a possibilidade de ser associada com a amizade, tudo se torna mais gostoso.

Desde o início do processo para fazermos esse primeiro desfile, tivemos muitos obstáculos, que ajudaram na criação de uma causa, que com o tempo foi crescendo no coração de quem estava envolvido – não apenas nos membros do bloco –, mas também nos moradores do Baixo Augusta e na sociedade em geral, que paulatinamente, ano após ano, foi se apaixonando pela ideia de ocupação da rua e compreendendo o que o carnaval, pela sua importância natural no país, seria um ponto de partida de uma discussão que poderia ser ampliada. O modelo de carnaval estava de certa forma relacionado ao modelo de cidade que queríamos. Um grupo de amigos com suas rotinas profissionais e responsabilidades decorrentes delas, que se reuniram para celebrar a vida através de um bloco de carnaval, encontram uma causa política que ao longo do tempo só foi alimentada pelas dificuldades do caminho e por uma incrível apropriação da ideia original por uma grande parcela da sociedade. Era só dar tempo ao tempo e ver crescer cada uma dessas pontas.

Em 2011, segundo ano de desfile, tanto a amizade da turma como as dificuldades para se colocar o bloco na rua só aumentaram. Por um lado, foram organizados vários ensaios para esquentar e divulgar o desfile, os agregados que participaram do primeiro ano se juntaram à turma e tudo estava uma festa. Por outro lado, porém, talvez pelo trauma causado no primeiro ano, e para interromper qualquer processo de desordem na cidade, a Prefeitura nos enquadrou. Poderíamos desfilar, desde que nos concentrássemos na minúscula Rua Pedro Taques, entre a rua da Consolação e a Rua Bela Cintra e teríamos que descer por uma faixa da pista bairro centro da Rua da Consolação. Numa lógica de intimidação, ficou determinado que deveríamos nos responsabilizar por toda a segurança e por qualquer dano sofrido por alguém que se aventurasse a sambar em meio ao caos dos carros passando a toda velocidade e com raiva dos foliões. Curioso que o trajeto determinado pela Prefeitura incluía uma passagem pela frente da Delegacia de Polícia da Rua Marquês de Paranaguá, a mesma que eu quase visitei no ano anterior. Quando a chuva torrencial caiu, acho que os representantes dos órgãos públicos que estavam no local comemoravam, afinal de contas, poderia ser a pá de cal naqueles baderneiros. Ensopados, mas felizes por resistir ao percurso, chegamos ao único quarteirão que nos foi liberado por apenas uma hora na Rua Augusta, em frente ao terreno que hoje em dia sabemos que vai abrigar o Parque Augusta, mas que na época não passava de um sonho distante, entre a Marquês de Paranaguá e a Rua Caio Prado. Aliás, foi nesse ano que pela primeira vez manifestamos oficialmente em nome do bloco, o apoio ao movimento do Parque Augusta, coisa que se repetiu em todos os desfiles. O que não estava no roteiro municipal é que quando estacionássemos na Augusta, tanta gente apareceria para lotar todo aquele quarteirão. A expressão emocionada no rosto de Simoninha era um sinal eloquente de que estávamos realmente construído algo relevante – expressão que se repete todos os anos desde então. Um momento inesquecível daquela tarde foi quando nossa nova madrinha recém empossada Pitty cantou tanto rock como marchinhas de carnaval para a multidão. Claro que àquela hora de ocupação da Augusta liberada pela prefeitura se transformou em três horas, e que a turma da ordem ficou maluca e fez juras de rompimento conosco. Quem se importava diante daquele lindo cenário: a madrinha roqueira moradora do bairro, a chuva como obstáculo e nossa resistência carnavalesca formaram a combinação perfeita para o que estava escrito na camiseta que fizemos para aquele ano, inspirada na linda canção de Sérgio Sampaio. *Eu quero botar meu bloco na rua!*

Em 2012 não conseguimos nem protocolar o pedido do nosso desfile. A administração Gilberto Kassab decidiu boicotar qualquer tentativa de crescimento do quase inexistente carnaval de rua da cidade. Participei, junto com Ale Natacci de umas vinte reuniões tentando convencer os donos do poder a liberar nosso bloquinho. No desespero, conseguimos envolver o então secretário de Educação da Prefeitura, Alexandre Schneider – talvez o único político daquela administração que se mostrou sensível à causa – na esperança de que ele interviesse por nós, mas a rua mesmo assim nos foi negada. Uma semana antes da data marcada para o bloco, decidimos radicalizar e transformar nosso desfile em manifestação. Alugamos um estacionamento que ficava na esquina da Augusta com a rua Dona Antónia de Queiróz e conseguimos, com a ajuda de Schneider, um alvará para realização de evento em local privado. Mesmo com a chuva – que de novo nos atormentava – fizemos uma espécie de "carnaprotesto", embalados pelo som da incrível Orquestra Voadora, do Rio de Janeiro – que por sua tradição de militança e ocupação de espaços públicos foi perfeita para a ocasião. A orquestra fez as bases para Simoninha e a madrinha Pitty brilharem mais uma vez. A terra batida do estacionamento se transformou em lama com a chuva e vivemos nosso momento Woodstock na Augusta, com direito à performance espetacular do ator Julinho Andrade vestido de Jesus, que embalado pelo clássico da *disco music Aquarious* fez os heróis da resistência e do carnaval que lotaram aquela esquina, delirarem.

Com tantas dificuldades ao longo dos três primeiros carnavais na cidade, resolvemos mudar de estratégia. Decidimos, em 2013, tentar gerar algum tipo de fato político antes do carnaval para fortalecer nossa causa e conseguir sensibilizar o poder público. Precisávamos marcar posição diante da nova administração municipal para demonstrar que o carnaval de rua da cidade já era uma realidade e iria acontecer com ou sem apoio, mas que se fosse respaldado pela Prefeitura poderia se tornar algo grandioso. O êxito do desfile no primeiro ano de uma nova administração era crucial para a verdadeira consolidação do nosso carnaval. Lançamos o tema "Ocupa Augusta", com nossa caveira símbolo com boina de guerrilheira, anunciamos que iríamos não só ocupar toda a Rua Augusta como desceríamos em direção à Praça Roosevelt onde faríamos nosso *gran finale*. A praça que, como vimos, era um dos símbolos da efervescência do Baixo Augusta, havia sido recentemente ocupada por diversos movimentos ativistas que surgiam com força na cidade, no contexto de lutas autorais por direitos e serviços públicos de qualidade que emergiam pré-junho de 2013. No final de 2012 ela havia sido palco de manifestações políticas interessantes como o "Amor sim Russomanno, não" e logo depois o "Existe amor em SP" – evento que reuniu diversos coletivos ativistas e artistas que tinham vínculo com o bairro e com causas libertarias como Criolo, Tulipa Ruiz, Thiago Pethit e Gaby Amarantos, para defender uma cidade mais livre e aberta para as expressões culturais e comportamentais.

A escolha de Juca Ferreira para a secretaria de Cultura facilitou nossa estratégia pois claramente ele compreendia a importância do carnaval e imediatamente percebeu que já seria um grande feito se a Prefeitura não atrapalhasse o movimento natural que estava emergindo na cidade. O secretário também compreendia a dimensão política do nosso "Ocupa Augusta", uma vez que estava intrinsecamente ligado a alguns grupos ativistas que passavam à época pela praça Roosevelt e que inclusive apoiaram sua nomeação para o cargo. Paralelamente e também com muita importância de articulação política em prol do carnaval de rua, existia na cidade desde o final de 2012, o "Manifesto Carnavalista", um movimento do qual o nosso bloco participava – e que reunia diversos outros grupos carnavalescos, a maioria da Vila Madalena. Em dezembro de 2012, estrategicamente antes da posse do novo prefeito, o "Manifesto" organizou um ato pelo direito de se ocupar as ruas no carnaval que contou com a adesão de vários blocos e foi uma ação importante para pautar o assunto na imprensa e sensibilizar os políticos que estavam assumindo a cidade. Com tudo isso, conseguimos pela primeira vez a autorização de todos os órgãos municipais para enfim fechar a Rua Augusta, o que aconteceu também com os blocos de carnaval do "Manifesto Carnavalista" e outros que embalados pelas boas novas, começavam a aparecer pela cidade. Esse ano, para fazer bonito diante das oportunidades de estabelecer o carnaval definitivamente no calendário, fizemos vários ensaios abertos no Studio SP, e fechamos uma parceria com o Bloco Quizomba do Rio de Janeiro para tocar no desfile, fazer a base para Simoninha e outros convidados que participaram como Roberta Sá e Tatá Aeroplano. Também desenvolvemos uma oficina de bateria para os interessados em tocar instrumentos no trajeto e preparamos um emocionante final transformando a Roosevelt em uma pista de dança ao som do DJ Zegon. 2013 também foi especial pois estrearam no nosso bloco duas figuras muitos queridas da nossa comunidade: nossa madrinha Tulipa Ruiz, que substituiu Pitty, e nossa Rainha do Bloco, Alessandra Negrini, cargo que resolvemos criar para marcar aquele momento tão poderoso. Fomos para a rua com um desfile robusto e reunimos cerca de 25 mil pessoas, o que nos colocou na condição de maior bloco daquele início de retomada do carnaval de rua da cidade. Aquele desfile deu a liga que faltava para sacramentar o processo que misturou a amizade com o ativismo de luta por uma cidade mais alegre. Prometemos o "Ocupa Augusta" e realmente a ocupamos. Ficamos três anos batalhando para enfim termos a chance de realmente promover um desfile de carnaval contundente e o resultado não poderia ter sido melhor. Pudemos ter a certeza que havíamos posto nosso bloco no calendário da cidade e que a partir daquele ano entraríamos em um processo de crescimento tanto do Acadêmicos do Baixo Augusta, como de todo o carnaval da cidade. Naquele carnaval, a imprensa nos deu um apelido que nos orgulha muito. Éramos mesmo um *bloco ativista*.

Quando chegamos em 2014, ainda estávamos sob o impacto das impressionantes manifestações de junho de 2013 e a Rua Augusta havia sido um dos palcos principais dos conflitos entre policiais e manifestantes. A violência policial gerou cenas chocantes que marcaram a região. Muitos dos estabelecimentos que nunca fechavam nas noites e madrugadas de movimento, abaixaram as portas por dias seguidos com medo de saques e da grande confusão. A Praça Roosevelt só aumentava sua expressão ativista e passou a reunir cada vez mais coletivos, agora potencializados pela explosão das chamadas jornadas de junho. O nosso bairro fervia com a mistura da cultura alternativa tão presente com as movimentações políticas de diversos atores diferentes. Nesse cenário, ao iniciarmos a preparação para nosso carnaval de 2014, Francio de Holanda teve uma sacada brilhante para nos posicionar diante de tudo aquilo. Precisávamos de carinho, de gentileza, de aproximação. O Baixo Augusta organizaria então seu carnaval Flower Power. Pela primeira vez formamos um comissão de cenografia que reunia Zé Carratu, Carol Bueno, Felipe Cama e Gui Sibaud. Uma parceria com a florista Helena Lunardelli e o projeto Flor Gentil, que reutiliza flores de grande eventos para diversas iniciativas sociais, possibilitou que juntássemos muitas flores para decorar o caminhão e serem distribuídas para os foliões ao longo do nosso desfile. A ideia de distribuir rosas no lugar de bombas – como aconteceu nas manifestações de junho do ano anterior, 2013 – foi muito festejada na cidade, especialmente pelo jornalista Gilberto Dimenstein que entendeu completamente nosso propósito naquele momento e dedicou uma de suas colunas na rádio CBN ao tema. Com o mesmo time musical do ano anterior e a continuidade da nossa madrinha e rainha, o desfile #FlowerPower foi muito bonito e marcante. Com a autorização e o suporte municipal pelo segundo ano consecutivo, celebramos a cidade com uma grande festa, sem abrir mão do posicionamento claro sobre os acontecimentos que nos cercavam, reforçando a atuação de *bloco ativista*. Os números oficiais impressionaram: 40 mil pessoas desceram a Augusta naquela tarde.

Com a quantidade de pessoas nos nossos desfiles e o interesse da sociedade pela ideia de carnaval de rua crescendo em progressão geométrica, decidimos debater entre os fundadores, alternativas para se criar bases sólidas para o Acadêmicos do Baixo Augusta. Uma festa popular daquela grandeza e magnitude precisava ter mais respaldo, e não podia contar apenas com o grupo de amigos assinando os pedidos e se responsabilizando pessoalmente por qualquer problema que eventualmente surgisse. Optamos então por criar uma associação civil sem fins lucrativos, para gerenciar os interesses do bloco e representar o caráter inclusivo da nossa festa. A Associação Cultural Acadêmicos do Baixo Augusta foi criada para produzir nosso bloco, lutar pelo desenvolvimento do carnaval de rua da cidade e apoiar e participar de ações culturais e sociais de valorização do Baixo Augusta e da cidade. Mesmo sem a presença de uma associação cultural oficialmente constituída, o bloco já havia funcionado como referência do bairro, para aqueles que procuravam algum tipo de representação do processo de transformação urbana pela arte. A exposição que o Acadêmicos teve na mídia desde seus primeiros desfiles contribuía para isso.

Considerando o sucesso do ano anterior e o respaldo gerado pela criação da Associação Cultural, estávamos prontos para dar um grande salto. Pelos nossos cálculos, se o público dobrasse do carnaval anterior para o desfile de 2015, como vinha acontecendo, poderíamos chegar perto da marca de 100 mil pessoas, o que seria muito significativo, pois bloco nenhum da cidade de São Paulo havia atingido esse tamanho. Diante do descrédito da política tradicional e do afastamento da sociedade da prática partidária e constatando que mesmo depois de toda a explosão de cidadania de junho de 2013, as eleições geraram um dos Congressos Nacionais mais conservadores da história. Com isso, resolvemos apelar para o escracho e para a transgressão como forma de protesto. Assim foi criado nosso carnaval do desbunde, que pretendia passar a mensagem que diante da bandalheira da política nacional, o desbunde era o que nos restava. O "Desbunde na Augusta" foi um grande sucesso e ampliou o tamanho, alcance e visibilidade do nosso bloco. O processo de amadurecimento gerado pela Associação influenciou todas as áreas. Um exemplo de evolução foi garantido na estrutura musical, onde Simoninha articulou com músicos locais a criação de uma banda própria para o Acadêmicos e envolveu diversos ritmistas para formar uma bateria poderosa. O repertório foi melhor trabalhado e incluímos no desfile, além de marchinhas e sambas tradicionais, versões de músicas que simbolizavam a força cultural do Baixo Augusta, de artistas como Criolo, Céu, a madrinha Tulipa Ruiz, Nação Zumbi entre outros, aproximando ainda mais o público frequentador do bairro com o bloco. Os registros áudio visuais também foram aprimorados, assim como o estimulo ao uso de fantasias por todos os foliões. Além da nossa corte já tradicional o estilista Walério Araújo foi nosso destaque, e convidamos os atores Luis Lobianco, Leticia Guimarães, Eber Inácio e Sydnei Oliveira, do espetáculo carioca super transgressor *Buraco da lacraia*, para representar em cima do nosso trio o desbunde proclamado. Pela primeira vez lotamos a Rua Augusta da Avenida Paulista até a Praça Roosevelt em uma demonstração de completa afinidade do nosso tema com os anseios da região. Grupos de amigos organizaram festas nos apartamentos voltados para a Rua Augusta e os prédios foram um complemento do nosso desfile. Muitas casas noturnas que geralmente não abriam aos domingos, criaram programações especiais para aproveitar o grande movimento. Quando chagamos na Roosevelt percebemos que ela já estava pequena para a qualidade de gente que pulou carnaval aquele ano. Cravamos as 100 mil pessoas que sonhávamos em nosso desfile.

Diante de tudo o que aconteceu ao longo do processo de consolidação do Acadêmicos do Baixo Augusta e com o carnaval de rua claramente caindo no gosto dos paulistanos, decidimos, para 2016, batalhar junto à Prefeitura uma mudança de trajeto. Com a expectativa imensa criada na cidade e o cadastramento municipal apontando em torno de 400 blocos espalhados por São Paulo, imaginamos que o Baixo Augusta explodiria de gente, o que implicava na necessidade de medidas que assegurassem a segurança dos foliões. Solicitamos a Rua da Consolação, principal via da região do Baixo Augusta como trajeto e com a super lotação da Roosevelt em 2015 pedimos também a mudança da área de dispersão, seguindo mais ao centro pela Consolação até a Rua Xavier de Toledo. A resistência por parte da CET e outros órgãos de controle foi grande, mas depois de uma árdua negociação que envolveu o Secretário de Cultura da época, Nabil Bonduki, e até o Prefeito, Fernando Haddad, conseguimos aprovar o novo percurso. Além da segurança, sabíamos que desfilar em uma grande avenida da cidade, traria uma visibilidade muito grande ao bloco, que com sua história de luta pelo direito ao carnaval e seu potencial de se tornar de fato muito grande, passaria a ocupar um lugar simbólico no imaginário do carnaval não apenas da cidade, como de todo o país. Houve também uma torcida entusiasmada por parte de alguns formadores de opinião e jornalistas que queriam que no ano da consolidação da retomada do carnaval um bloco 100% paulistano como o nosso, fizesse bonito em face ao anúncios dos desfiles no carnaval de rua de São Paulo de muitos blocos importantes do Brasil, como Monobloco, Sargento Pimenta e Bangalafumenga do Rio de Janeiro e Bicho Maluco Beleza de Alceu Valença do Recife.

O tema do ano foi "Família Augusta, de todo jeito nos gusta" em referência ao Estatuto da Família que tramitava no Congresso Nacional e potencializou mais ainda a expectativa de público. Muitos ativistas na luta por direitos humanos e lideranças LGTB, que já frequentavam nosso bloco, se engajaram na divulgação. No dia do desfile o que se viu foi uma cena histórica, que representou muito bem todo o processo de retomada do carnaval e toda nossa batalha, especialmente se compararmos com o ano que nos obrigaram a descer por uma faixa entre os carros, da Consolação. A enorme rua, em seus dois sentidos, ficou totalmente tomada pela multidão, que de tão grande foi difícil de se calcular precisamente. As cerca de 250 mil pessoas fizeram uma festa que foi marcada pela alegria e pela liberdade de ir e vir, sem violência ou qualquer transtorno. Simoninha comandou a banda de forma magistral e contou com participações especiais de Fafá de Belém, Tiê, Paula Lima, e da madrinha Tulipa. André Frateschi cantou em frente à Roosevelt músicas homenageando o recém falecido David Bowie, emocionando o público e Miranda Kassin lembrou a cantora Amy Winehouse cantando alguns de seus *hits*. Zé Carratú, Julinho Andrade e toda a turma da cenografia fizeram vários estandartes que foram segurados alternadamente pelos fundadores do bloco e se somavam ao visual. A nossa rainha Alessandra Negrini vestida de noiva em protesto contra o Estatuto da Família foi ao *trending topics* mundial do Twitter. 2016 se consagrou como o primeiro ano da explosão de São Paulo em festa, com blocos nos quarto cantos da cidade, pessoas fantasiadas pelas ruas e diversas manifestações espontâneas da folia que tomaram conta da cidade como acontecia nos principais centros carnavalescos do país.

Em 2017, com mais uma mudança na gestão municipal, ficou claro nos inúmeros encontros com representantes da Prefeitura, que o carnaval de rua de São Paulo não era obra de um partido ou de um político. Era sim, na verdade, uma conquista da sociedade civil, que durante anos se mobilizou para chegarmos onde estávamos. Entre o período em que meia dúzia de amigos ocupavam a Augusta na marra entre carros e ônibus e hoje em dia, quando mais de 10 milhões de pessoas lotam as ruas da maior cidade do país, brincando o carnaval e celebrando o direito à cidade, aconteceu muita coisa. Nesse contexto, para explicitar a luta pela ocupação da cidade e nosso desejo de continuidade do carnaval de rua que acreditávamos, decidimos que o tema do carnaval do Baixo Augusta 2017 seria "Primeiramente a cidade é nossa", e na arte oficial, viria pixado sobre a bandeira da nossa cidade, para chamar a atenção de todos que pretendíamos continuar nos apropriando de São Paulo para transformá-la. Quando decidimos a arte e o tema – em novembro de 2016 – jamais imaginávamos que importantes painéis de grafites da cidade seriam apagados. Nosso tema, pixado sobre a bandeira, ganhou uma dimensão maior e nos vimos na obrigação de além de abordar o direito à ocupação da cidade, expressar também nosso apoio à arte de rua que está intrinsecamente inserida na ideia de cidade colorida, livre e para as pessoas, bandeira da nossa associação. Por isso, organizamos juntamente com Rita Wainer – a pintura de uma grande empena, lateral de um prédio, com face para a Praça Roosevelt. Nosso objetivo era entregar um presente para cidade bem colorido e que expressasse todos os sentimentos contidos no nosso tema.

Com uma força tarefa que mobilizou quase todos os fundadores do nossos bloco, organizamos um grande desfile. Para ampliar ainda mais o alcance dos assuntos que queríamos abordar, a rainha Alessandra Negrini se vestiu de Parque Augusta, e Edgard Scandurra e Taciana Barros cantaram a canção *Parque Augusta dos Anjos da Cara Suja* em homenagem ao espaço de defendíamos a tantos anos, e que ainda vivia o impasse diante da especulação imobiliária agressiva na cidade. Simoninha e nossa banda conduziram a festa que contou novamente com as participações de Fafá de Belém, da madrinha Tulipa Ruiz, Paula Lima, André Frateschi e Miranda Kassin. Juntaram-se ao elenco Felipe Cordeiro, Zé Ed do bloco Tarado Ni Você e o animadíssimo Alexandre Nero que em vários momentos participou cantando diversos estilos. 500 mil pessoas lotaram a Rua da Consolação entre a Avenida Paulista e a Praça Roosevelt. O bloco tinha dificuldade de descer a rua, tamanha a quantidade de pessoas por metro quadrado. Com isso, o desfile atrasou e encerramos a festa depois das 22h. Ao chegarmos na altura onde já era possível visualizar a empena com a arte de Rita Wainer, aconteceu uma catarse que marcou as nossas vidas e a história do nosso bairro. Assim que o trio elétrico passou do prédio pintado pela artista, dissemos algumas palavras em favor da arte urbana e o quanto ela era importante como fator de qualificação e transformação da nossa cidade. Uma luz forte iluminou a pintura multicolorida de uma mulher, de braço erguido e pulso cerrado, com a mensagem: "Baixo Augusta – A cidade é nossa". A multidão gritava emocionada e feliz quando Tiê começou a cantar a música *Gentileza* de Marisa Monte:

> Apagaram tudo
> Pintaram tudo de cinza
> A palavra no muro
> Ficou coberta de tinta
> Apagaram tudo
> Pintaram tudo de cinza
> Só ficou no muro
> Tristeza e tinta fresca

Na segunda estrofe, fogos de artifício começaram a explodir no alto do prédio. Foi uma transe coletiva, um sonho de cidade que naquele momento mágico era palpável, possível.

OASIS RADICAL

Pela importância natural de São Paulo, o Baixo Augusta passou também a ser um ponto de encontro de diversas expressões da cultura alternativa de todo o país. Muitos movimentos que acontecem simultaneamente em vários estados brasileiros, estão representados na região, pelas possibilidades que aquele ambiente proporciona para a carreira de tantos artistas. Ao longo de todo o processo que culminou com consolidação do Baixo Augusta, aconteciam paralelamente em vários cantos do país, movimentações de cenas culturais importantes que geraram artistas que depois de despontarem e atuarem em suas cidades, vieram desbravar suas carreiras na nossa região ou partir dela, e com o auxílio decisivo do bairro mais agitado da maior cidade do país, construíram suas trajetórias. Tais movimentações culturais fortes podem explodir em determinado local e transformar a cara de uma cidade ou a cultura de um país. Esses movimentos mudaram as trajetórias do protagonista artista, do público que acompanha o processo e, claro, da localidade com um todo, que passará a ser conhecida como a terra daquela expressão.

Um destaque desse contexto foi a fortíssima cena Pernambucana, cuja expressão característica surgida nos primórdios do movimento mangue beat, perpassava transversalmente várias expressões artistas, especialmente a música, o cinema e marcava decisivamente a cultura nacional. São Paulo em geral e o Baixo Augusta em particular foram importantes espaços de difusão dessa cultura de Pernambuco e isso era muito perceptível com a presença marcante na região de nomes já citados aqui como Eddie, Mombojó, Del Rey, Seu Chico, China, Otto, Diz Maia, Academia da Berlinda, Nação Zumbi, Lala K, Karina Buhr, Claudio Assis, Lírio Ferreira, Heitor Dhalia etc. O Studio SP foi palco de tantos shows e festas dos pernambucanos que era apelidado em Recife como Studio PE.

No Baixo Augusta se fazia presente também com força a nova cena musical carioca, representada pela Orquestra Imperial, Casuarina, Kassin, Moreno Veloso, Domenico Lancelotti, Nina Becker, Orquestra Voadora entre outros artistas. É muito claro o paralelo que podemos traçar da história que contei aqui com o processo de transformação e retomada da boêmia Lapa carioca, com casas como Carioca da Gema, Rio Cenarium, Teatro Odisseia, Circo Voador e Fundição Progresso, que aconteceu em um período histórico bem próximo e teve uma explosão similar de diversos empreendimentos dedicados à cultura. Mais recentemente, depois da reinauguração do Teatro Rival, a Cinelândia voltou à tona com força na vida cultural do Rio de Janeiro, muito graças ao Rivalzinho, um bar que fez renascer a boemia da histórica rua Alvaro Alvim e estimulou diversos outros negócios da mesma natureza, a ponto de impulsionar a oficialização do quarteirão cultural Marielle Franco, em homenagem vereadora brutalmente assassinada. O projeto foi inspirado no estilo do Baixo Augusta de diversidade sonora e ocupação quase que militante da rua, nessa mistura que junta empreendedorismo com ativismo. Portanto, a conexão com a cidade maravilhosa sempre foi total, seja pelos artistas que frequentavam o Baixo Augusta, seja pelas experiências de transformação urbanas compartilhadas.

Outra cena muito forte vem do Rio Grande do Sul. Os gaúchos sempre foram muito presentes no Baixo Augusta, pela enorme migração – especialmente de gente que atua na com arte, publicidade, cinema etc. – o que naturalmente as aproxima do nosso bairro, e pela constante presença de artistas como o saudoso Jupiter Maçã, Wander Wildner e bandas como Cachorro Grande na agenda cultural. A força da noite de Porto Alegre e a cena transgressora da cidade, com suas casas históricas como o Opinião, contribuem para que percebamos o paralelo existente. Toda essa presença foi muito bem enfatizada na letra o hino do Acadêmicos do Baixo

Augusta. O Trilegal estava lá, ao lado do Arretado dos pernambucanos e nordestinos em geral tão fundamentais para São Paulo. A banda Cachorro Grande também fez nesse contexto uma declaração de amor ao bairro ao lançar a música *Baixo Augusta*. O Ceará do Cidadão Instigado, um dos ícones da efervescência cultural de Fortaleza e seu circuito fortíssimo de música repleto de bandas e artistas e de casas como as que fazem parte do Complexo do Dragão do Mar também está sempre presente na região. Outro bom exemplo é a cena de rock baiana, capitaneada por Pitty, que não apenas frequenta, como mantém sua residência e o estúdio de sua banda no bairro. Os músicos da Bahia encontraram no Baixo Augusta espaço para trocas e difusão da arte criada a partir dos clubes e casas de resistência do rock em Salvador. Muitas outras cenas de várias cidades brasileiras se fazem também representar através de movimentos culturais que buscaram a descentralização da cultura como o coletivo Fora do Eixo, que teve vida atuante no Baixo Augusta organizando shows, festas e festivais frequentemente. Uma marca do coletivo sempre foi fazer pontes entre diversas cenas culturais representadas por bandas de todo país e o bairro se mostrou o local perfeito para isso. Outra conexão era com festivais de música independente do Brasil todo. A Associação Brasileira de Festivais de Música Independente (Abrafin) realizou diversos projetos no Baixo Augusta. Era comum eventos de festivais que aconteciam em vários polos do país terem seus braços no Baixo Augusta para divulgação e troca cultural.

Além desse aspecto aglutinador de movimentos culturais que se passam em diversas partes do país, o Baixo Augusta teve um papel preponderante no que podemos chamar de redescoberta do centro de São Paulo. O processo descrito nesse livro foi um condutor de oportunidades que estão transformando o centro da cidade. Como observado, a região central sofreu muito com a sanha especulativa que buscava expandir as fronteiras, em busca de grandes empreendimentos, muitas vezes corroborada por gestões municipais ao longo de todos esses anos. A cidade do carro, das grandes avenidas e dos condomínios não tratou bem seu centro. A retomada veio a partir dos negócios que incendiaram a noite da região com arte, cultura e diversidade e o sucesso de alguns projetos, fizeram empresários se arriscarem a ocupar outras áreas da Subprefeitura da Sé como Santa Cecília, Via Buarque, Liberdade, República, Bela Vista, Barra Funda e etc. O Baixo Augusta pode ser considerado como uma das portas de entrada do centro para muitos jovens que frequentaram o bairro e para muitos empreendedores que a partir da experiência de sucesso na região, avançaram para mais perto do Pátio do Colégio. Não é por acaso que a maioria dos blocos de carnaval de rua desfilam no centro e a maioria dos shows da Virada Cultura acontecem na região, que é a favorita de foliões e fãs de eventos culturais.

Por outro lado, a história do Baixo Augusta também gerou um efeito colateral indesejado: a especulação imobiliária. Muitas das casas de show, clubes, lojas, bares e restaurantes listados aqui hoje já não existem mais. Prédios e mais prédios subiram pelas ruas do Baixo Augusta e mesmo os negócios que não estavam arriscados a serem demolidos pelas incorporadoras, tiveram seus aluguéis reajustados, com preços que dificultaram demais a vida dos empreendedores da cultura alternativa. Entretanto, é notável como o bairro resiste. Mesmo com número de arranha-céus construídos, batendo o limite do permitido pelo plano diretor da cidade, a efervescência das ruas do bairro permanece e todos os meses temos novidades, novos projetos e negócios. Pra comprovar isso, basta descer a Rua Augusta entre a Paulista e a Praça Roosenvelt a qualquer hora do dia, em qualquer dia da semana. Esse aspecto resistente também é notado quando observamos em meio aos barbeiros e cabelereiros bacanas, lojinhas descoladas, *food trucks*, estúdios de *tattoo* e casas de shows, a presença de algumas saunas e casas de massagem remanescentes.

O bairro também apresenta uma admirável radicalidade muito presente nos empreendimentos, nos empreendedores, no público que frequenta, na diversidade latente da região que vibra com o respeito às diferenças, na permanente batalha contra a especulação imobiliária nociva, na resistência de continuar relevante e na vocação para a vanguarda cultural. Esse perfil está presente na região desde o pós guerra. Determinadas casas de Bossa Nova ou de Jovem Guarda não estavam replicando movimentos culturais do *mainstream*, mas sim, lançando ou formando público para tais movimentos. Alguns dos artistas que passavam pelas casas de show que misturavam o clima de bar, restaurante e clube noturno, eram as maiores expressões da nova cultura, que mudariam e moldariam a estética da música popular brasileira por muitos anos seguintes. A mesma lógica permaneceu no período que chamei de *Neon*: mesmo com o grande *Red Ligth District* que se formou na Rua Augusta, ou até mesmo por causa dele, o espírito vanguardista estava muito presente em produções das mais variadas esferas artísticas. As casas noturnas que desbravaram o bairro no início dos anos 2000 na diversidade que denominei aqui de Samba Rock, eram todas elas repletas de propostas ousadas e inovadoras para o período e flertavam com cenas culturais importantes e transformadoras da cidade. A mesma coisa na época do Quartel General da transformação do bairro, o Vegas, e em todos os estabelecimentos que se juntaram na mesma empreitada cultural e boêmia. A Plataforma de Lançamentos do Studio SP e o ambiente de relevância cultural importante que se agrupou em torno das casas e dos outros empreendimentos similares, só confirmou essa caraterística do bairro. É claro que todos esses períodos apresentaram ameaças e riscos. Um ambiente de agitação cultural representativo e repleto de novidades como o Baixo Augusta sempre também costuma ser atacado por outros interesses. Em vários momentos desses período histórico relatado nesse livro, a sensação que a Rua Augusta sucumbiria à ganância do mercado prevaleceu até mesmo sobre a criatividade e agitação que aconteciam por ali. E esse risco permanece presente.

Quando os clubes, bares, restaurantes e casas de show já não eram capazes de abrigar a multidão que o Baixo Augusta e todo esse caldo cultural atraia, e já usava o bairro – e especialmente a Rua Augusta – como uma espécie de praia noturna, ocupando as calçadas e parte das vias, criando festas abertas nos bares, surgiu através da criação do Bloco Acadêmicos do Baixo Augusta, o movimento que lutou pelo direito à cidade, conquistou a retomada do carnaval de rua e colaborou decisivamente para a construção da ideia de uma São Paulo ocupada pelas pessoas.

A força do empreendedorismo e do ativismo em torno da arte que permanecem como expressões maiores do nosso bairro, ostenta no mega painel pintado por Rita Wainer no desfile do Acadêmicos do Baixo Augusta de 2017, um símbolo importante de múltiplos significados: uma mulher altiva e de punho erguido, de um território chamado Baixo Augusta, com a mensagem clara de que a cidade é nossa.

REFERÊNCIAS

A LOCA. Disponível em: <https://www.aloca.com.br>. Acesso em: 4 nov. 2018.

ABREU, C. *O melhor de Caio Fernando Abreu*: contos e crônicas. São Paulo: Nova Froteira, 2015.

ASSEF. C. *Todo DJ já sambou*. São Paulo: Conrad, 2008.

BANES, Sally. *Greenwich Village, 1963*: avant-garte, performance, e o corpo efervescente. São Paulo: Rocco, 1999.

DAMATTA, Roberto. *Carnaval, Malandros e Heróis*: para uma sociologia do dilema brasileiro. Rio de Janeiro: Rocco, 1997.

FALCÃO, A. *Crônicas da vida boêmia*. São Paulo: Ateliê Editorial, 1998.

GUERRA, F. *Empreendedorismo para subversivos*. São Paulo: Planeta, 2017.

MARIO PRATA. Disponível em: <http://marioprata.net>. Acesso em: 4 nov. 2018.

MORAES, Reinaldo. *Pornopopéia*. São Paulo: Objetiva, 2009.

MUZEEZ. Disponível em: <http://muzeez.com.br>. Acesso em: 4 nov. 2018.

OS SATYROS. Disponível em: <http://satyros.com.br>. Acesso em: 4 nov. 2018.

PALOMINO, E. *Babado forte*. São Paulo: Mandarim, 1999.

PARLAPATÕES. Disponível em: <http://parlapatoes.com.br>. Acesso em: 4 nov. 2018.

PISSARDO, F. *A rua apropriada*: um estudo sobre as transformações e usos urbanos da rua Augusta. 2012. Dissertação (Mestrado) – Faculdade de Arquitetura e Urbanismo, Universidade de São Paulo, São Paulo.

SATYRIANAS. Disponível em: <http://satyrianas.com.br>. Acesso em: 4 nov. 2018.

SOARES, W. *Spazio Pirandello*: assim era, se lhe parece. São Paulo: Jaboticaba, 2007.

SQUEFF, E. *Vila Madalena*: crônica histórica e sentimental. São Paulo: Boitempo, 2002.

FOTOS
**Acadêmicos do Baixo Augusta
por Frâncio de Holanda**

Rua da Consolação, 2018

Rua da Consolação, 2017

Praça Roosevelt, 2018

Rua Augusta, 2015

Rua da Consolação, 2018

Rua da consolação, 2016

Rua da consolação, 2017

Rua da Consolação, 2018

Rua da Consolação, 2018

Rua da Consolação, 2018

Rua da Consolação, 2017

Rua da Consolação, 2018

Rua da Consolação, 2017

Rua da Consolação, 2017

Rua da consolação, 2017

Rua da consolação, 2018

Rua da consolação, 2017

Rua da consolação, 2017

Rua da consolação, 2017

Rua da consolação, 2017

Rua da consolação, 2017

Rua Bel Cintra, 2010

Rua Bela Cintra, 2010

Rua Costa, 2010

Rua Augusta, 2010

Rua Augusta, 2010

Rua Augusta, 2010

Rua Augusta, 2010

Rua Augusta, 2010

Rua Augusta, 2010

Rua da Consolação, 2018

Praça Roosevelt, 2018

Rua da Consolação, 2018

Rua da Consolação, 2018

Rua da Consolação, 2018

Rua Augusta, 2013

Rua Augusta, 2013

Rua Augusta, 2015

Rua Augusta, 2015

Rua Augusta, 2015

Rua Augusta, 2015

Rua Augusta, 2010

Rua Augusta, 2014

Rua Augusta, 2010

Rua Bela Cintra, 2010

Rua da Consolação, 2011

Rua da Consolação, 2018

Rua da Consolação, 2011

Rua da Consolação, 2011

Praça Roosevelt, 2017